地球倫理の目覚め

河野なみへい 著

日本創生から
地球倫理推進教育への道

はじめに

◆こうすれば人類は救われる

SDGs（Sustainable Development Goals）・持続可能な開発目標は、２０１５年に国連が採択した、２０３０年までの持続可能な実現目標で、また２０３０年時点の実現の結果を見てから２０４５年までの新しい目標を掲げることになると思いますが、こんなのをまじめに待っていても、絵にかいた偽善の餅にすぎません。

今の衰退する日本の生き残りをかけた本気の取り組みが良い結果を生み出し、それが鏡となって世界を変えていくことになると思います。これが、**今日本が生き残る唯一の一手**であり、結果的に世界を救うことになる一手であると思うのです。

このことに40年前にすでに気が付いて、１９８３年に『こうすれば人類は救われる』という著作を書いて、その後『地球倫理推進運動』という活動を起こした人がいます。丸山竹秋という哲学者です。

丸山竹秋氏は、地球倫理推進運動として次のようなことを推奨していました。

地球倫理の推進の宣言として、「地球人の、地球人による、地球の為の倫理」と謳い、

地球を救う十の実践

一、木を植える　　　　　　二、緑を大切にする
三、清掃を徹底する　　　　四、ごみを持ち帰る
五、紙を大切に使う　　　　六、電気を大切にする
七、ガソリンを節約する　　八、水を節約する
九、水を汚さない　　　　　十、回収し再生する

を掲げました。

40年後の現在、東京都知事が提唱しても良いことを、その当時から実行していたのでした。

私の父はこの当時、この方の考えに賛同して、毎朝3時に起きて質素な朝食をとってから、母とともに横浜市中区の住宅地内を1時間程ごみを拾って歩いていました。心筋梗塞で倒れるまでの十数年間、毎朝これを実践していたので、神奈川新聞が取材に来てかなりのスペースで記事になりました。

私が父にプレゼントしたロールスロイスには乗らずに、日産ブルーバードという小型車に乗ってガソリンを節約していました。当然、毎日のように全国を講話して廻っていましたが、横浜市外は今まで乗ったことが全くなかった電車を使い、地方への出張には鉄道を使うようになっていました。会社でのメモ用紙は使用済の紙の裏を使い、

ペントハウスにある事務所と庭にはふんだんに植物を植えて、毎月の墓参りには雑巾やほうきを持参して、墓はいつもピカピカに磨いていました。

父と母が人生で最も影響を受けたのは、この丸山竹秋氏だったのだと思います。この方にお会いしてから両親の生活は劇的に変わり、母や息子のことを一切顧みない自分中心の父が変わりだして、母は父への不満を一切言わなくなり、とても幸せ溢れる夫婦になっていきました。

現在でもこの地球倫理運動は延々と続いています。

その23年後にバラク・オバマ米政権の副大統領であり、環境運動において2007年にノーベル平和賞を授賞しているアル・ゴア氏が2006年に発表した「不都合な真実」というドキュメンタリー映画が上映されて話題になりました。国連でSDGsの前身となるMDGs（Millennium Development Goals）・ミレニアム開発目標を採択しました。

1、極度貧困と飢餓の撲滅
2、初等教育の完全普及の達成
3、ジェンダー平等推進と女性の地位向上

4、乳幼児死亡率の削減
5、妊産婦の健康の改善
6、HIV／エイズ、マラリア、その他の疾病の蔓延の防止
7、環境の持続可能性確保
8、開発のためのグローバルなパートナーシップの推進

これら8項目の運動は不発に終わりましたが、その後 SDGs として2015～2030年までのより具体的な17ヵ条の目標として、世界に受け入れられるようになりました。

◆妊産婦の健康の改善

この5番目の記述には、もっと興味深い書籍があります。前述の丸山竹秋先生のお父様の一般社団法人倫理研究所初代理事長である哲学者丸山敏雄先生は昭和23年頃『無痛安産の書』という冊子をご子息の丸山竹秋先生（東京大学哲学科卒業後、慶応義塾大学医学部に進学）と相談しながら執筆されています。

妊娠中に心を病んだり、死亡したりする妊婦の方々が多い戦争直後の、混とんとした社会において、安全に出産することを説いたとてもユニークな冊子ですが、多くのご婦人方がこれによって救われました。私はこの書物を読んで、手術も麻酔もなく無痛で出産された方を多く知っています。安産五則というごく当たり前のことが基本になっています。

一　お産は、自分の力でするのではありません。大自然の大きい力で、必ず無事に生ませていただく。すべてを、この偉大な力にお任せいたしましょう。

二　いつだろう、いつだろうと、待ちすぎていらいらしたり、気を揉んだり致しますまい。ちょうど良いとき・よい所で生まれます。みなお任せして、落ち着いた心で過ごしましょう。

三　産気づいても、すべて自然にまかせておりましょう。自分で生もうと、りきんでみたいあわてたり致しますまい。

四　女のほまれ、妻のほこりと、ちょうどスタートラインに立ったような引きしまった心で、何も考えず、何も思いますまい。

五　もし万一、心が決まらぬ時は、日ごろ信ずる神仏の御名をとなえ（心の中で）、また、我が母の名を一心に念じましょう。そこに偉大な力が現れて、いとも安らかに生まれてまいります。

無痛歓喜の安産を、一人でも多くの方に経験していただけるように、ただ苦しみがないのではなく、例えようのない喜びの中でお産が出来るように。これは、女性の身体が生来もっているプログラムの機能でもあります。


この、本物の普通のお産を取り扱う地域助産師と産む女性は、わが国ではほんの1%です。GHQによって家庭でのお産は淘汰されてゆきました。戦後レジームの一つです。もう、自然のお産を見たことがない医師や助産師が殆どなのです。かくいう私も、勤務時代は「医療のないところで産むなんて危険」と思い込んでいました。

助産師会で、地域の出産を取り扱う助産師と親しく話せるようになって、ゆっくりと洗脳が解けてゆきました。自然に任せる本物のお産は、むしろ安全性がより高いことを理解しました。それでも晩婚化や高度不妊治療による高齢出産、極端な少子化による貴重児の概念の変化など、お産を危険視する風潮はますます強まっています。せめて、合併症のない健康なママたちには、いきなり麻酔出産を勧めることはしないでほしいです。お産と子育ては確実にリンクしています。

以上のように書かれています（同じ内容のものは今でも倫理研究所の通信販売で買うことができます）。

◆地球倫理推進運動

１９８０年当時、現在のエネルギー不足や水不足を予見して、電気や水を節約してごみを減らすことから始めて、地球規模の運動に拡大している一般社団法人倫理研究所（本部：東京都紀尾井町）という団体は、この運動を現在でも、「地球倫理推進運動」として拡大しています。この運動に寄与した人物や団体に対して、自薦他薦を問わず厳正に審査して、毎年１００万円の報奨金付きで表彰しています。

国連の SDGs は今やっと投資業界を中心に浸透しかけていますが、本気で取り組んでいる団体や事業社はあまり見かけません。掛け声は大きいのですが、実行があまり伴っていないものがほとんどです。

これを【SDGs Wash】といいます。これは【グリーンウォッシュ】ともいわれて、【White Wash】に由来する造語で、偽物の環境対応、やっている真似だけで本気ではやっていない団体に向けて発せられる、非難の言葉です。企業や個人は、これでもやらないよりマシというものですが、政府は国の浮沈をかけて取り組むべき運動であり、今の停滞した日本にはまだ５００兆円の企業の内部留保、１０００兆円の個人預金、２００兆円の年金基金の余力があります。

これを無意味なバラマキに使ってしまう時、本当の日本の衰退がはじまるのです。そしてそれは10年以内に現実に起こることなのです。この日本の最後の資産を、回収可能で、確実に利益を生んで、しかも地球を倫理的に正しい方向に導く政策を早急に実行出来る人物が現れて日本を、そして地球を救うことが今強く望まれているのです。

世界は50億年以内に必ず滅びます。これは現在の充分発達した宇宙科学の成果です。真実であり、この運命を変えることは人類の力では絶対に無理なのであります。

２００９年に打ち上げられたより優秀なケプラー望遠鏡により50万個以上の恒星が発見されました。これが２０１８年に運用を終了した後、２０２１年に打ち上げられたジェイムズ・ウェッブ宇宙望遠鏡は従来の望遠鏡を遥かに凌ぐ解像度で、宇宙の実態を次々と明らかにしています。そこには目には見えないが、間違いなく存在するダークマターと、重力を持つダークエネルギーが存在していて、全宇宙の５％の物質に対して95％の存在であることが明らかになりつつあります。

つまり、ユダヤ教とそれに派生して２０００年前におこったキリスト教、その数百年後に派生したイスラム教が偉大だとして、私としては３０００年以上前にインドの奥地の菩提樹の下で瞑想のみで無や空の存在を悟った釈迦の偉大さを改めて思い知ることとなりました。これには神は存在せず、インド哲学の元となるものでありました。

日本では２６００年以上前に、古事記や日本書紀で書かれた国生みの神話が基となり、神話ではこのように書かれておりまして、子孫としての天皇陛下の存在が日本民族の心の支えとなってきたのです。

◆日本人とその役割

日本人の勤勉さやノーベル賞を立て続けに授賞したり、欧米の先進国を差し置いて世界第2位の経済大国になりました。世界一の大国アメリカ合衆国と世界戦争を始めたり、他民族とは明らかに違う能力を持つ特殊性から、神国日本などと勘違いしてしまった面もあります。明らかに漢民族や朝鮮民族とは違う文化的、人種的進化を遂げてきた日本の特性を大切に引き継ぎ、欧米とは違った独自の外交や経済を展開して、世界の平和に資する指導的立場を担って行ってほしいと、私は思っています。

そのためには、日本が生み出した独自の美しい倫理観を世界に広めていくことが求められていると思います。今でも日本を称賛し、日本文化を取り入れている国は多々あると思います。

武士道の本や日本料理、ウイスキーを含めた日本の酒類等の世界的流行は、そのほんの始まりに過ぎないと思います。日本人特有のあいさつや礼儀作法も世界の尊敬を集めています。

今、再び沈み始めている日本の力を再び取り戻す日本創生、日本がナンバーワンだった頃の日本の教育、日本式の企業の組織づくりと倫理観を、もう一度研究し、教育しなおして、これから先、世界を導いていけるリーダーを養成していくことで、地球全体の、そしてこれから各国が目指している宇宙を、平和で正しい「みちすじ」を示していくことを提案していくべきだと思います。

２０２３年６月吉日

河野 なみへい

もくじ

序章　観えてきた、始まりと終り

◆宇宙の始まり

はじめに光がありました。
まわりは漆黒の闇でした。
光は突然縮小して点になりました。
点は一瞬で爆発して拡大を始めました。
その時の巨大なエネルギーの中で物質と反物質が生まれました。

本来なら物質と反物質は同じ数だけ生まれて、お互いに対をなして消しあい、また元の闇に戻るはずでしたが、なぜかその時、反物質は消え去ったのに物質が余ってしまいました。

そしてその物質はそのまま拡大を続けていったのです。そしてそれは水素やヘリウムとなって空間をさまよい始めました。

あちこちで塵となって集まって、自身の重力によって凝縮していきました。自身の重力が極限に達し始めたころ、水素を燃料とした核融合反応が始まりました。そしてやがて高温で輝き始めたのです。恒星の誕生です。

恒星は自身の重力によって近くの恒星と引き合い、合体して、より大きくなって、核融合反応を続けていきました。より大きな重力により、より多くの水素を融合させて、内部にヘリウムを蓄積していきました。

水素の核融合反応でヘリウムと鉄ができます。恒星はますます大きくなって、【赤色巨星】となります。内部にヘリウムを蓄え、自身の重力もますます増えて、中心部にはヘリウムからできた鉄の塊ができていき、表面の水素を使い果たします。充分重くなった時、自身の重力に耐えきれず、今度はどんどん縮んで、限界まで来ると、その圧力で大爆発を起こしました。

この温度はとても高温なので、白く輝きます。それは、【白色巨星】と呼ばれます。この時高温と高圧で、いろいろな元素が生成されました。そして、塵《ちり》となって宇宙をさまよい、またまた自身の重力で、大きな塊となってその中心の大きな星は核融合反応を始めました。その周りでは、やはり塵が重力によって集まり、惑星となって中心の恒星の周りを回り始めました。

このようにして137億年前に大きな爆発によってできた、宇宙空間の比較的小さな恒星を中心に八つの惑星が回り始めて、太陽系ができました。ただし最新の研究では太陽より小さくて暗い恒星は【赤色矮星】として、全恒星の８割存在しているといわれています。暗い恒星は地球からはなかなか発見が難しく、最近の特殊な赤外線望遠鏡の発達によって、この10年ほどの間に急速に発見数を増やしています。

そして46億年前から核融合を始めた太陽は、あと50億年以内に水素を使い果たして肥大化し、【赤色巨星】となって水星や金星を飲み込み、おそらく地球や火星までも飲み込んで、燃やし尽くしてから、突然収縮を始めて、現在の太陽の何十分の一まで縮小した時、その重さに耐えかねて大爆発を起こし、【白色巨星】となって白く輝いたのちに消えていきます。

このような星の集まりは何兆個も存在していて、天の川銀河を構成しています。そこから一番近い銀河が２５０光年かなたのアンドロメダ銀河であり、天の川銀河の何倍も大きいのです。そして、このアンドロメダ銀河は、毎秒１１０キロものすごい速さで天の川銀河に向かって突進しているのです。いつかは私たちの天の川銀河はアンドロメダに吸収されてしまうと言われています。

◆太陽系ができるまで

ビッグバンから始まった宇宙の片隅で、46億年前に水素を中心としたガスが集合して太陽ができ、自身の重力によって核融合反応を起こして輝き始めました。

その周辺に漂っていたガスや塵や岩石が集合して、太陽に近いところでは水星、金星、地球、火星という岩石惑星が、それより遠いところでは木星、土星、天王星、海王星というガス惑星ができました。

水星は太陽に近すぎて灼熱地獄であり、到底生き物が住み続けることはできず、金星についても高温のメタンガスの嵐が吹き荒れていて、到底生きられる環境ではありませんでした。地球と火星は太陽との距離も丁度いいし、安定した大気があるので生物が生存できる、いわゆるハビタブルゾーン（生命居住可能領域、生存可能圏、生存可能領域）に位置している惑星であり、ビックバンから１３７億年経過したといわれる宇宙において、46億年前に、このようにして誕生した二つの惑星には生物が住める条件がそろっていたといわれています。

太陽との距離や大きさの微妙な違いによって、地球のマントルの対流が地磁気を造り、太陽風等から地球の大気等が守られ、菌類や藻類が育って美しい地球へと成長していきました。一方の火星は、内部のマントルの対流がなく、地磁気もないので、太陽からの強い影響を受けて、弱い重力のために大気は吹き飛ばされ、気温も昼は２００℃を超え、夜は零下数１００℃となり、生物の住み続ける環境はすぐに失われてしまったのです。

◆トラピスト１への移住計画

１９９０年にハッブル宇宙望遠鏡が打ち上げられてからの様々な発見により、宇宙の全貌と、始まりと終わりがわかり始めています。

２０１７年２月に、地球から40光年離れたところに太陽系に似ているといわれる「トラピスト１」が七つの周回する惑星と共に発見されました。そのうちのいくつかには地球環境に近いハビタブルゾーンが存在しているのです。七惑星の一つ「トラピスト１」は、今までに発見されたどの惑星よりも地球に近いハビタブルゾーンを持った惑星だということが分かりました。この発見で地球外生命体が存在する可能性が高まっています。

しかし、光の速さで40年以上かかるということは、人間が生きているうちにたどり着けることは全く不可能であると同時に、そこに高度な知性を持った生命体がいたとしても、彼らが地球にたどり着く可能性は限りなくゼロに近いでしょう。この地球から一番近い恒星に、今の人類の技術では到底行き着くことはできません。

その前後、地球から4・25光年のところに、ものすごく暗くて今まで発見されなかった【赤色矮星】が発見されていました、プロキシマ　ケンタウリと呼ばれています。強いエックス線放射があるなど、人類の終の住まいとしては問題が多いのですが、地球滅亡後に移住できる距離としては、可能性はあります。

光の速度で4年3か月で行けるということは、光速の20％で航行できる、光子ロケット・宇宙船を開発できれば、約22年で行けることになります。22年であれば、移動に不可能な時間ではありません。

この恒星は、太陽のように強い光を発生しない【赤色矮星】であり、寿命は太陽の100億年に対し、18倍の1800億年ほどあり、太陽が燃え尽きる前にこの間に科学の発達によって、ここから40光年先のトラピスト1への再移住の可能性もあるのです。

そこに移住することはNPO団体『地球連邦設立準備委員会』では決定済です。但し、この宇宙は今でも加速度的に拡大を続けており、そのころには拡大しきれずに、すべてが引きちぎれて消滅しているか、急速に収縮を始め、全てが潰れて消滅していると思われますが…。

1億年かけてこの恒星系を探査して、あと1億年かけて環境を整えて、あと1億年かけて人類を移住させます。

その間に、光速に近い速度で数十年間飛び続けられる宇宙船を開発するのです。

第一章　地球の誕生

◆地球の誕生

隕石が降り注ぎマグマオーシャンに落下。地球の10分の1ほどの小惑星によるジャイアントインパクト（惑星形成過程で起きる、他より格段に大きくなった微惑星（原始惑星）同士の衝突）により水と大気は半分、海はほとんど残り、その後、これらの地球の破片が徐々に集まって、固まって月が形成されることとなりました。

しかし、太陽に近い金星、火星のような岩石惑星には、太陽の強烈な熱量によって、本来、水分は吹き飛んでしまって、現在の地球のような水が存在することは、あり得ないということです。

この大量の水は、地球や火星より遠い、水分を多く含んだ氷の天体からもたらされたと言われています。エッジワースハイパーベルト天体、オールトの雲などにある天体ですが、すべて70％は氷だということで、これらの天体の一部が地球に降ってきたということだそうです。

地球は順調に成長していき、幸運にも美しい、宇宙の楽園となっていきました。でも本当は、いろいろな危機を、神の大いなる意思が働いていたかのように乗り越えていったように、私には思えます。

◆人類が誕生すること

人類は、中央アフリカの西側の森林地帯の類人猿（主にチンパンジー）から進化して、森を出て南北にアフリカ大陸を分けている深い谷間を超えて東アフリカからアラビア半島経由でヨーロッパとイラン・インド・中国に広がったことが最近のゲノム解析で明らかになってきました。即ち、今のチンパンジーと人類との遺伝子配列の違いは1％程度だということで、しかもアフリカに起源をもつ人類の祖先が、現在の地球上に生息する全人類と同一の起源をもつことが明白となっています。

まさに人類は一つの家族であることが明らかになったのです。しかも、このホモサピエンスという人類の始祖は、ヨーロッパに一時広がってから後に絶滅したといわれていた、ネアンデルタール人のＤＮＡをも受け継いでいることも、最近の研究で明らかになっています。

第二章　神話からの日本の幼児教育と現在・未来

◆日本列島の話

５６００万年前からユーラシア大陸と北米プレートに向かって潜り込むように西へ進んでいった太平洋プレートと北上しながら潜り込んでいったフィリピン海プレートが複雑に絡み合って、２３００万年前から５３０万年前にかけてユーラシアプレートの東の端が引き裂かれて日本列島の西側の原型ができ、３６０万年前頃には西南日本と大地溝帯フォッサマグナ以北の関東東北が合体して現在の北海道から九州沖縄を含めた日本列島の形が造られたと考えられています。

このことから、日本民族の始祖である縄文人は、北のユーラシア大陸から当時断続的に陸続きとなっていた千島列島や樺太を経由して北海道、東北地方を中心に縄文文化を開花させていったと推察されています。これはまだ証明されていませんが、ホモサピエンスとは全くちがう起源の、ジャワ原人から発したホモフロー

レシエンシスはインドネシアのフローレンス島で発見された人類の祖先であり、平たい顔面を持っていることと、身長は１１０センチ程なのに高い知能を持っていたと推察されています。

本来は脳の大きさと知能は比例すると言われていましたが、この島嶼《とうしょ》民族は狭い島内での少ない資源を有効に使うために小さく進化したために知能だけは退化しませんでした。そのことから、日本民族にはこの小柄で優秀な民族の血を受け継いでいて、見かけは似ていても漢民族やモンゴル民族とは違った内容の文化を発展させてきたと推測されます。有色人種であり、明らかに欧米人より小柄で小さい脳を持ちながら、唯一、独立を保って世界に伍してきた日本民族は明らかに優秀であり、独特の優秀な文明を築いてきたことは間違いありません。

私はこのことを誇りに思っており、この民族の特長はこれからも末永く保っていくべきだと思っており、それがこれから先の永い地球の存続に寄与していくと確信しています。

日本民族の特に几帳面で、従順で、優秀な民族特性を保持すべく、多数の保守系政治家たちを、日本文化や日本の血統を重視する、移民制度の厳格化や、難民受け入れ阻止の方向に向かわせているものと思われます。

◆神話から学んできた日本の精神文化

宇宙物理学者スティーヴン・ホーキング博士は言いました。

「神は存在するかもしれない。

しかし、神の助けがなくても、科学で宇宙を説明できる」

世界中の神話は、幼い子どものころから語り聞かされています。

日本は、今、このような大切な教育が消えて行こうとしています。日本人の美点であった、道徳力の高さや礼儀ただしさ、親子の絆の強さを復活させ、継承させて行く教育の幼児期からの徹底が急務であり、その為にも夫婦の対等な関係の上での、しっかりとした夫婦間の役割分担の確認が必要です。このことによって少子化は解消して、人口増加の世界的潮流に追い付いていくことが可能となります。

出雲神話が基となっているとされる「古事記」（「ふることふみ」とも呼ばれる）は、

日本の神話を含む日本最古の書物と言われています。その「序」によれば、和銅5年（712年）に太安麻呂《おおのやすまろ》（太安万侶）が編纂して、元明天皇に献上されたことで成立したとされています。この古事記から多くの神話が創作され、宗教文化に大きな影響を与えてきました。

一般には、12歳になる前に、神話や童話を読み聞かせるのが日本家庭の習慣であり、そのことにより子どもの想像力を豊かに育てる助けとなるばかりではなく、愛国心や宗教心も育っていくものとされていて、これはほぼ世界では共通していると思います。

この日本の家庭習慣が、強くて賢い、優秀な日本人をつくり出して、米国を恐れさせ脅かせたと分析したアメリカの日本占領軍ＧＨＱのマッカーサー司令官は、日本が二度と米国に歯向かうことのないような弱い子どもが育つように日本の教育政策にも多く介入してきました。天皇陛下中心に強く結束してきた天皇の権威を貶《おとし》める、数々の方法を考え、実行していきました。

１９４６年の昭和天皇による「人間宣言」がその最たるものです。天照大神から営々と築いてきた日本の民族宗教である「神道」の大本である天皇陛下自らのお言葉で「私は神ではなくただの人間です」という内容を宣言させたのです。神の子であると自ら名乗っていたイエス・キリストをゴルゴダの丘まで裸足で十字架を背負わせて引きずって行き、槍でつき殺したことによって神ではないことを証明した聖書の一説を思い出させる出来事でした。

今言われている、若者の「ゆとり教育」の弊害より前からの日本人の愛国心の欠如や古い習慣や高齢者を軽視する風潮等は、米国の日本人教育の弱体化政策の勝利と言えるかもしれません。

欧米人から見るととても変な民族に思えるかもしれませんが、サウジアラビアでもインドでもタイでも多くの中東やアジアの国々では死者を弔うことと並行して願い事を叶えることから宗教が発展していったものだと思われます。このことを無視したり馬鹿にしたりしていては日本をはじめとしてアジアや中東やアフリカの歴史や文化や政治について理解することはできないと思います。

かくいう私も、日本文化を卑下し、欧米文化を不必要に礼賛してきた世代のど真ん中に育ってまいりました。小学校1年から高校3年までは、キリスト教プロテスタント、バプテスト派の学校に入学しており、毎朝の礼拝堂での賛美歌斉唱、お祈り、毎週必ず1回ある聖書のお勉強、学校の敷地内にある教会に毎週日曜日に通う生活を12年間続けたおかげで、私の聖書も賛美歌の本もボロボロになっていました。私は母校を愛していましたし、おかげで宗教に関しては強い関心と知識がありました。

幸い、母方の祖父も、父も、強い愛国心を持った、生粋の愛国者でしたので、会社には神棚があり、住まいには大きな仏壇がありました。法事や神事は全て昔からのしきたり通りに忠実に行われました。

国の記念日には必ず国旗を掲げるように家の外壁からはポールが突き出していました。元日には朝早くから1時間かけて茅ケ崎のずっと先にある寒川神社まで家族全員で初詣に行きました。私は、家族が家庭内では一切口にもしないキリスト教やユダヤ教やイスラム教に興味を持ったこともあり、大学受験勉強では世界史を選びました。

おかげで大学受験勉強最後の1年間は英語、世界史の受験勉強は一切せずに苦手な古文と漢文と数学をひたすら勉強しました。今でも政治に強い関心を持っていますが、特に世界情勢や最新の国外のニュースには全て毎日目を配っています。

◆子どもたちに教えておきたいこと

中東、アフリカの男尊女卑の国々の人口は爆発的に増加して２０５０年までには世界人口は100億人を突破すると言われています。ジェンダー平等が根付いている日本などでは急速に少子化が進んでいます。男が男らしく、女は女らしく育てられた男女の出生率は高く、その逆だと男性の生殖能力は著しく減退し、女性の母性も減退することは、最新の研究で明らかになっています。

ジェンダー平等はもちろん大切に守っていくことで間違いありません。しかし、男性の機能と女性の機能は見ての通り、全く違うことも確かです。しかし、男性が女性の、また女性が男性の真似をしただけでも、男性はその機能を強めるテストステロンが減少し生殖能力が激減し、逆に女性は妊娠を促すオキシトシンなどのホルモンの分泌が減退して、出産願望がなくなっていくという研究が1999年の論文で明らかにされています。

それまでも、日本ではXY遺伝子のうち、男性を決定するY遺伝子が年々短くなっており、最終的に、近い将来Y遺伝子は地球上から消滅してしまうという研究結果も報告されています。生まれつきの性器の不完全な方たちや、ホルモンの多い、少ないによって女性的な男性や男性的な女性は多いと聞いていますし、場合によっては男性の外見で、心は女性の方も、ごくまれにおられると聞いています。しかし、数億年もの時間をかけて女性と男性の区別のもとで培った文化や習慣を、この数年の流行で変えてしまうことは正しいこととは思えません。

宗教的にも、どの経典を見ても、女性と男性が登場しますし、宗教によっては、その役割は厳しく規定されています。男でも女でもありたくない人も多数おられると思います。しかし、ある程度の秩序のもとで、すべての人々が平和に暮らしていくことは、人類の将来のためには大切なことだと思います。女性器があっても男性として生きて行く権利、その逆も大切だと思いますが、いたずらに世の混乱を招くようなことは、ある時点で食い止めるべきです。現実には、男性遺伝子と女性遺伝子がなくて人は生まれることはありませんし、子どもの時から自分は男なのか女なのか教えられない世界、将来の性は自分で選べる世界に私は住みたくありません。

それは、将来的に、自分の性器を切り取ったり、他人の性器を買って付けられることが、法的に認められる世界となり、混沌とした世界が決して大多数の人民にとって幸せな結果を生み出すとは思えません。

このほかにも、女装を好む男性、男装の女性がいることは容認できるとしても、このこととは全く違う次元のことであることを認識して、幼児からの教育でも、そのことの区別をきちんと教えていかなければならないと感じています。

文化や、趣味の多様性を認めることはとても大切なことです。知能の高い人も、それほどでもない人も、誰もが美しいと感じる人がいます。そうでもない人もいます。

他人の感じ方もいろいろであり、美の基準も様々であってよいと思っています。人が、何が好きで、何が嫌いかはその人の心の問題であり、強制することはできません。私は日本人が好きですが、白人と黒人は嫌いかもしれません、しかし、それを口に出して言わなければ、それはそれでいいことなのです。人が美しく感じることは自由です。しかし、それを、おのおのが口に出して、ランク付けしたり差別したりして他を貶めたりすることは論外です。

この差別と区別の違いを子どもたちに教えておきたいものです。

第三章　河野家の歴史

一、親・祖先

◆河野家の始祖

大和朝廷、神武天皇以前の古事記、日本書紀からの記述によると、神武天皇の御東征より以前に伊予宇和島に遣わされていた大山積神（大山津見の神）の子孫である小千の命（おちのみこと）は孝霊天皇の外系の子であるとされていますが奈良進攻時の武功によって伊予宇和島の統治を任され、河野という姓を名乗り河野家の始祖となって瀬戸内海での勢力を拡大していきました。

源氏平家の壇之浦の決戦に海側から参戦して大きな戦果を上げた村上水軍を指揮していたのも河野一族でした。いわゆる「倭寇《わこう》」という海賊を使って、朝鮮半島から中国沿岸を略奪し、王族の子女を略奪して妻にして栄えていったと聞いています。

蒙古襲来、いわゆる「元寇の乱」の時、日蓮上人が日夜祈り続けて神風を起こし、蒙古軍が撤退したという言い伝えがあります。同時に、倭寇の頭であった河野通有《みちあり》が夜襲して蒙古の船の大半を沈めたことで蒙古軍が敗退し、褒美として河野家当主河野通有は九州肥後の国を与えられたとも聞いています。

壇之浦の決戦後には源義経が伊予宇和島の守護職となったとも言われておりまして、私は四国大三島神社に参拝して、そこに展示されている数々の所蔵品とともに家系図を拝見して参りました。

諸説あるようですが、私は父から、神武天皇以来の由緒ある家系であると、再三聞かされて育てられました。

◆祖父　河野天籟《こうのてんらい》

祖父河野天籟は、熊本県玉名郡長洲町在住のもと軍人であり、熊本師範学校卒業の学校長であり、多数の有名な漢詩を世に出した漢学者でありました。40年間書き貯めた漢詩１００編以上を『孟浪餘滴《もうろうよてき》』という本にしました。有名な作品でおめでたい席で詠まれている詩吟では『祝賀の詞』があります。その他『大和魂』や『大楠公《だいなんこう》』や『坂本竜馬を思う』等が有名です。

私の父も詩吟を吟じますので、当時から詩吟界の大御所でありました故笹川良一氏

の奥様　故笹川鎮江会長との共同開催で祖父の生誕百年祭に神奈川県立音楽堂で記念吟詠大会が開催されて、父も詩を吟じていました。

私も少しのあいだ詩吟はやってみましたが、なかなか吟ずる機会がないまま現在に至っています。

二、母方の祖父と祖母

◆祖母には感謝、祖父には謝罪

母方の祖父は藤崎勇熊《ゆうくま》、私をとても可愛がってくれました。何とも勇ましい名前ですが、明治の男で、小さくて小太りの禿親父でした。

神奈川県庁のとても偉い官僚でしたので、当時はたくさんのお客さんがお歳暮やお年賀やお中元などをもって、挨拶に来ました。1967年から8年間自民党系の県知事を務めた津田文吾氏も祖父の部下でした。当時の神奈川の自民党県連の最有力者であった、横須賀市の湘南病院の理事長も祖父の部下でした。この方は、祖父の故郷である同じ鹿児島県の奄美大島出身で、ともに終戦後苦労を共にした旧友でした。父母の仲人でもあり、後の私の最初の結婚の仲人でもありました。

母の父は、とても優秀で頭のいい人でした。祖母は典型的な明治の女であり、早起きして、祖父の朝食をつくり、一部の隙もないように祖父の身なりを整え、送り出してから、掃除、洗濯をして、8時半には父の京浜鳥獣店の開店、何百羽の小鳥やペットの餌やりから店の掃除、私と弟と父母の朝食からそのあとの孫の幼稚園への送り迎えなど、本当によく働く女性でした。祖母も私をとても可愛がってくれました。

いつも私は祖父と祖母の間で、祖母か祖父の一緒の布団で寝ました。隣の仏間には仏壇があり、店の奥には神棚があり、祝日は旗日と言って、必ず店の入り口には「日の丸」の旗を掲げました。

この店は、横浜駅の東口から徒歩5分の高島通りというところにあり、米軍の兵隊さんがよく通りました。ガムやチョコレートをねだると、必ずポケットから出して、子どもたちに与えてくれました。

当時は55歳が定年だったはずなので、たぶん50歳になったころ、祖父は突然肺炎になり、肺に影が出たので、当時恐れられていた結核だと確信して、結核の特効薬であったストレプトマイシンという、当時の日本では絶対に入手不可能の特効薬を、父の兄の暮らすアメリカ合衆国から大量に送ってもらいました。祖父は、毎日3回ずつ自分で注射しましたが、一向に効きませんでした。その後、しばらくして熱は下がり、影は消えましたが、今度は突然耳が聴こえなくなりました。原因は、ストレプトマイシンの打ち過ぎの副作用であったらしいのです。

その後わかったことですが、祖父の症状は、小鳥からよくうつるオウム病という、クラミジアを病原体とする病気で、テトラサイクリン以外の抗生物質は効かずに、どんなに強い抗生物質でも治りませんし、肺には同じく影が出ることも分りました。

とにかく、原因不明の耳鳴りの後、徐々に聴力を失い、仕事はできなくなって、2年ほどは休職しましたが、定年前に退職を余儀なくされました。

その後、横浜市神奈川区台町に300坪ほどあった父の土地で気晴らしにジュウシマツやセキセイインコの養殖をしたり、キュウリやヘチマやナスを栽培したりして数年を過ごしました。

祖父の親戚が埼玉県の川口市に住んでいて、熱心な創価学会員でした。河野家も藤崎家も普通の日蓮宗でしたが、どうしても治らない難聴にたまりかねた祖父は親戚の誘いで創価学会に入ったらしく、今までの仏壇とは違う仏壇を新たに祖父の寝室の床の間に設置して、朝晩「南無妙法蓮華経」というお題目を108回唱えていました。
2年ほど続けましたが難聴は一向に改善しないばかりか、ほとんど耳が聴こえなくなってしまったので、「必ず治ると言われたのにだまされた」と言って、おこって仏壇はすべて取り払ってもとに戻しました。

そのころからあれほど頭の良かった祖父の記憶力が衰えて、どんどん症状が悪化して、独り言が増えていき、怒りっぽくなっていきました。私は、あんなに可愛がってもらった祖父のことが嫌いになっていきました。

その分、祖父に尽くしていく祖母がずっと大好きでした。小学校6年生になるまで祖父と祖母の間で毎晩寝ていましたが、別室の父や母のダブルベッドで寝た記憶はありません。祖母と祖父は横浜市南区の久保山のお寺に墓があり、今では、祖母には感謝、祖父には謝罪をしに毎月お参りしています。

本当に明治の日本人の見本みたいな人生を見て育ちました。嘘とか、裏切りとか、非礼なことは一切なく、本当に善良な夫婦でした。私も、その影響で、毎日習慣的に、何の迷いもなく、勉強しました。嘘をつくことができないばかりか、馬鹿正直な言動で、ウソのうまい弟は一回も両親から叩かれることがなかったのに、兄弟喧嘩をしても必ず私が怒られました。

父も短気でしたが、祖母の右肘には大きな刀傷があったと聞いています。祖父の刀を右肘で受けたときの傷だそうです。肘の骨は特に固いらしく、素手で刀を受けるときは肘で受けよと叔母から何度も教えられました。

◆祖母の死と私の決心

祖父の逝った後、祖母は山手町で暮らしていましたが、心臓が悪いので母から止められていたのに、タバコがやめられず、最後はトイレで座ったまま息を引き取りました。

その時、私はちょうど本牧ふ頭のコンテナヤードでトレーラーに乗っていましたが、無線で祖母の死を知らされ、すぐに車を返して本牧の安アパートに戻り、そのまま夜まで一人で一番安いサントリーホワイトをストレートで飲み続けていました。

祖母に私の成功するところを見せられなかったことが悔しくて、とても、山手の両親の家で一人寂しく死んでいった祖母のもとに行く気にならなかったのです。

祖母が亡くなったことが、運転手がみんな聞いている無線で無常に告げられたことにも腹が立ちましたが、祖母の励ましで一流大学に入学して、祖母の、毎月10万円の父からの給料をそのまま貯めて、私にくれたのに、それにも報いることができませんでした。

その時、私はある決心をしました。詳細は、【第四章　なみへいの人生】で詳述します。

三、父と母の話

◆私の父

私の父は、夏の暑い日、熊本県内の球磨川のほとりの学校教頭の13番目の末息子として生まれました。祖父が67歳、祖母が54歳の時の、13番目の末っ子でした。難産でしたが、庭に雷が落ちたと同時に生まれましたので、幼名は雷太といいました。剣道は3段、ひどいかんしゃく持ちでした。

学歴は中卒でしたが、なぜかピアノも弾けてバイオリンも弾けて、英語も話せて、詩吟もできました。学校を出てすぐに兄夫婦の経営する満州のキャバレーで働きました。ある日、突然兄夫婦が、父を置き去りにして、夜逃げしてしまいました。父は仕方なしに、兄夫婦のキャバレーの経営を立て直して、借金を返してお金を貯めました。

満州事変が起こって、太平洋戦争がはじまり、満州にいた、得意先の関東軍はスマトラに移動してしまうので、父も店をたたんで関東軍についてスマトラに移住しました。関東軍の為のベッドや机等の家具工場を軍の力で格安で買収して、一手に家具を納入して大儲けしていました。丘の上に豪邸を構えて贅沢三昧の毎日でした。自宅には専用のゲームルームがあり、毎日マージャンやビリヤード等のギャンブルに明け暮れました。

父はとても器用な人で、なぜか凶暴な性格のわりに社交的で、どんなに偉い人とも平気で付き合えました。人望を集めるほどの人格者ではないのに、なぜか必ず人々の長になってその仕事を成功させるのです。

悪運も強い人でした。大事故を起こし、運転手は死亡しているのに、腰椎を骨折して何カ月も微動だにせずにいたのに何の障害もなく復帰したし、両目を負傷してもやはり何週間も動けなかったのに失明もしませんでした。

　ある日に丘の上の豪邸を出て軍の仕事を終えて帰宅したところ、爆撃で自宅は跡形もなく吹き飛んでいたそうです。終戦で、関東軍が全面降伏して、全員が収容所に入る事になった時も、自分の家具工場の材料で施設を建設して、自分も収容されましたが、牢名主のように威張って、毎日を快適に過ごしたそうです。

　その後、横浜港にて解放されました。横浜で教員をやっていた別の兄の野毛山の自宅に居候することになりましたが、スマトラからさるまた（ひも付きのパンツ）のひもの中に大粒のダイヤモンドを5つ隠し持って帰ってきたので、生活には全く苦労しませんでした。

◆私の母

　母は神奈川県の津久井郡で生まれ育ちました。旧姓は石橋だったはずですが、なぜか姉のキヨが藤崎勇熊と結婚してから養女に入り藤崎キミヨとなっていました。義父の勇熊は鹿児島県奄美大島で生まれてから猛勉強して高等文官試験を受けて神奈川県庁で局長の地位となった人で、とても几帳面で、毎朝早くから神奈川新聞と読売新聞を見ては切り取ってスクラップブックに貼り付けるのが日課でした。後輩には自民党神奈川県連の最有力者となった病院の理事長や、神奈川県知事がいました。

母はその後、私の祖父となる藤崎勇熊の養女となって豊かな生活を送っていました。新宿の文化服装学院という、当時は最先端の学校でファッションを習い、管理栄養士の資格も持っていました。当時はモダンガールという、とてもおしゃれな仲間たちと東京で活動していたそうです。祖父の指示で伊勢佐木町にあったカステラの老舗文明堂に入社しました。

父河野通敬《みちのり》がスマトラから帰ってきて野毛山に住んでいた学校教師の兄のもとで暮らし始めたころ、やはり野毛山にあった県の官舎に住んでいた藤崎家の娘の話を聞きつけて、伊勢佐木町の職場まで見に行ったそうです。

若くて色白のおしゃれな母を見て一目惚れした父は野毛の兄嫁に懇願して、毎日藤崎家に日参させたそうです。

当時高等文官試験に合格した将来有望な官僚と見合いして結納の日取り迄きまって

いたそうですが、当時とてもハンサムで、後のアランドロンを連想させるような風貌の父を気に入った母は、迷った末に結納の前日に、祖母に断りに行かせ、その後すぐに父と結婚してしまったそうです。

結婚当時は鶴見の総持寺の裏手にあった大きな一軒家を借りていたそうですが、横浜駅東口からすぐのところの西区高島通りに「京浜鳥獣店」というペットショップを開店しました。

はじめの出産に失敗しましたが、その後すぐに私が生まれました。お店は大きな一軒家でしたので、一階は店舗の奥に事務所と食堂と台所、２階は祖父の６畳間と４畳半、父と母は絨毯が敷かれた洋間で、備え付けのベッドと応接セットと大きな三面鏡台がある広間で、毎週ダンスの先生を招いてワルツやタンゴのレッスンをやっていました。

私の記憶は、次男三朗が生まれた後からしかありませんが、そのころの両親はとても裕福で派手な生活をしていました。１９４５年に敗戦した後で日本に引き揚げてきた父が隠し持ってきた宝石を売り払って得た資金で、祖父勇熊の広い人脈から得た情報を基にドイツのハーゲンベック動物園から輸入したキリンを上野動物園に納入したことは、当時大きな話題になりました。そのことで、日本中の動物園から注文が殺到して、一躍日本の動物園業界のトップを走っていくことになったのです。

母は毎日おしゃれをして外出しました、父も毎週飛行機で出張していました。世界中から買い集めた動物を日本中の動物園とペット商に売るのはとても忙しい仕事となりました。

母は占い好きで、はじめは易者を自宅に招き、何か決定するときは必ずその易者に相談していました。占い師は私の記憶の範囲でも大勢変えてきましたが、占いを切らしたことはありませんでした。

占い師を選びましたが、占いの結果は絶対に守りました。特に時勢も良かったと思いますが、高島町の店の裏の空き家を買ったのをはじめ、神奈川区台町の崖の下の土地と斜面の笹薮を含めた高台の料亭街の一等地を格安で買って飼育場にして、後に片隅に60坪ほどの自宅を建てて引っ越しました。すべてはその易者の言う通りにしていました。

そして、横浜市中区松影町に土地を買ってビルを建てました。京浜東北線が引けて土地が中華街に近い石川町駅近1分の好立地となったので、この荒れ地は一気に都会になりました。そこに10階建て４００坪の賃貸ビルを建ててその最上階全てを本社事務所にしました。易者の先生は本当に気味の悪いほどよく当たりました。

やはり、占いはその方の生き方や宗教観によって結果がずいぶん違ってくるようでしたが、母は最終的に、徳川家康も戦や江戸城築城時に使っていた「気学」の先生と知り合って、その先生を家賃無料で自社ビルの一室を無料で提供したうえで、その気学を一心に学んでいました。

その後は自分の運勢を占うばかりではなく、多くの人々を無料で見ては適切なアドバイスを行っていましたので、その人気には目を見張るものがありました。

自分で勉強して、晩年には多くの友人たちを無料で占ってあげていたようでした。１９７０年代後半頃ビルを新築して、その後間もなく、父は知人の紹介でビルの一室を朝の5時から1時間ほどお貸しすることになりました。

祖母は、30歳を過ぎても一向に芽が出ない私に「お前はずっと正直に働いてきたのに、未だに苦労していてかわいそうだ」と言って、こっそり２００万円を包んでくれました。
　その時私は、父のビルの一階でレストランを経営していましたが、44万円の家賃と、腕の悪いコックの給料25万円と、電気代20万円を支払えず、父からは毎月矢の催促で、たまらず本牧ふ頭で日雇労働をやったりトレーラーに乗ったりしていました。

　父が心筋梗塞で倒れてから、母は金沢八景にあった病院まで毎日通って父の看病をしていました。その後父は気道に食べ物をつまらせてしかも院内感染で、その後脳梗塞で植物状態になってしまいました。この時点で母は生命保険金1億円を受け取ることになりました。山手町の自宅も売って、アメリカ国籍を取得していた弟のいるカリフォルニアに移住することになって、ロサンゼルスで日本人が多く住むトーレンスに500坪の家を買って、1日中お湯が循環するジャグジー付きの、父の病室と100人は収容できる大きな客間を備えた豪邸を改修し、そこで、毎日「朝の集い」という集会を開いて、倫理の勉強をして、困った人々の相談にアドバイスをしておりました。

　母は余命1年以内の大腸がんであることを知らされました。まもなく父は亡くなってしまいました。ロサンゼルスのお寺で200人ほどで葬儀をとりおこない、防腐処置を施した上で、日本に帰って300人ほどで再度葬儀をとりおこないました。父はいろいろな団体の会長をしていましたので、人数を抑えましたが、けっこうな人数の方々が参加されました。

第四章　なみへいの人生

時系列では、お伝えできないので、エピソード別に記述します。
時系列がズレたり、内容が重複することもありますがお許しください。

◆幼少時から学生時代

3歳のころは既に祖母に連れられ近所のさくら愛児園で過ごしました。

4歳のころは反町幼稚園という、東急反町駅近の幼稚園には祖母が毎日送り迎えしてくれました。

5歳からは平沼高校の付属幼稚園に通いました。小学校は関東学院と横浜国大付属とどちらか選ぶように言われました。付属というのがいやで学院にしました。母はとても教育熱心で、何回も知能テストを受けさせられました。当時病弱で寝ていた母は小学校から帰ってきた私を側に呼んで毎日国語の教科書を読ませました。

おかげで国語の成績はいつもトップでした。

小学校5年になると個人の英語教師をつけられて毎週勉強しましたので、中学校では英語ではトップクラスでしたが、東横線沿線の菊名駅近くに有名な英語塾があって毎週通わされました。前回に習った文章は全て暗記させられ、次の授業で暗唱できなければ即刻退室させられ、帰宅させられました。

毎週末ペット店主が集まってペットの競り市場が、京浜鳥獣店の2階のおじいちゃんの部屋で開催されていました。隣の女中部屋には河野家の仏壇があり、孝霊天皇以来の家系図が置かれていて、いつもその中に漢文で書かれた物語を聞かされて育ちました。

河野通有と蒙古襲来の話。二度目の蒙古襲来の英雄河野益己《ますみ》。天武天皇東征の武勲で四国宇和島一帯の統治を任された孝霊天皇の血筋の小千の命《みこと》は瀬戸内海最強の村上水軍をも傘下におく豪族であったが、自らも朝鮮半島から中国大陸沿岸で略奪を繰り返し、名士の子女をさらっては一族の男子の妻とし、絶えず新しい優秀な血筋と文化を取り入れて行った結果、今までにも多数の優秀な武将や政治家を排出してきた家系で、私もいずれ国を率いて戦える優秀な戦士になるべく、あらゆる教育に手間暇を惜しみませんでした。

父が剣道3段だったこともあり、関東学院中学校入学と同時に私は、迷わず当時は名門であった剣道部に入り、高校3年生まで、本気で休まず剣道に励みました。

毎週日曜日は、英語でとてもスパルタで有名な大下塾へ行きました。暴力は絶対に使わないが、とても意識の高い先生で、大学は行ったことがない、貧しい家だったのですが独学で英語をマスターして、敗戦後すぐにアメリカ軍の通訳をやってきた実力者です。何しろその日学んだ英文は一字一句漏らさず、すべて暗記することになっていて、次回にはどんなに長い文章でもみんなの前で暗唱させられます。間違えるとできるまでやらされ、できないと家に帰らされます。おかげで、多くの先輩は東大や一橋等の一流国立大に現役で、入学していました。私も、大学入試のための英語の勉強はやったことがありませんでした。私は従順な性格でしたので、一切の疑問なくもくもくと日々やるべきことをやってきました。おかげでその後の人生においてはとても役に立ったことが多く、今では母にとても感謝しています。

ただ、毎週日曜日に英語の塾に通っていましたので、とうとう最後まで、必ず日曜日に実施されていた剣道の昇段試験は受けられませんでした。

その反動か、大学を卒業してからは全く読書とか勉強とかはしないで、ひたすら現場で体を使った労働に興味を惹かれていきました。動物の飼育係や動物や飼料の輸送のための長距離のトラック運転などが好きでしたので、貿易事務や経理事務は一切手伝いませんでした。

高校3年当時はまったく受験勉強せずに慶応義塾大学文学部に合格しました。大学ではドイツ文学を専攻し、プラトンやアリストテレスから始まるカントの哲学書から読みはじめましたが、さすがに私のつたない語学力では歯がたたず、理解を深めることは難しかったです。

結局、カフカのDas Schlossを研究テーマにしました。これもかなり難解ではありました。結局大学時代に覚えたことは、野生動物の捕獲と飼育技術、舞踏研究会でのワルツ、タンゴ、スローフォックストロット、クイックステップ、マンボ、ルンバでダンスパーティーでのナンパ、大学周辺に何百もあった麻雀荘でのマージャン。

ドイツ語は、大学時代に初めて通訳として、北海道旭川動物園でのトラの曲芸団、片腕の少年と指のない父親のドイツ人たちを石川県の金沢動物園迄付き添っていったとき、流暢なドイツ語に触れた時、私のつたないドイツ語の限界を感じて、自分の語学の才能のなさを感じて、それ以降の人生でのドイツ語会話を封印した瞬間でした。

以後、オランダ船での1か月間でも、彼らの堪能な5か国語を操る能力を見て、日本人は、他言語を習得する能力が全くないことに気が付き、フランス語もイタリア語も習いに行きましたが早々にあきらめました。

英語は、母が強制的に、私を小学校5年から英語漬けにしてくれたおかげだと、とても感謝しています。英国に7年間暮らして、英語の映画やDVD合わせて700本以上観てきましたが、BBCニュースは未だに完全には理解できませんし、映画はつたない英語しか話せない妻に説明してもらうことがしばしばありました。

◆仏教と私

関東学院はプロテスタント系のミッションスクールでしたので私は12年も毎日体質に合わないキリスト教に悩みながら過ごしてきました。おかげで聖書は8回読破しましたし、毎週の聖書の授業を受けてまいりました。反動で、関東学院以外の無宗教の大学ならどこでもいいと思っていました。が、ある日試験問題に福澤諭吉翁の逸話がありました。江戸幕府が皇軍の総攻撃を受けて、江戸城が陥落間近で、三田界隈の住民が江戸を捨てて逃げ出したとき、土地をただ同然で、全て買い取って、現在の慶応義塾の礎になさった。とても先見性があり、肝の座った、偉人です。

欧米を見学して帰ってから、このままでは日本は侵略されて、なくなってしまうか、永久に欧米列強の属国となってしまうことにいち早く気がついて、教育と産業を急いで育てて、国力を強化して、『学門のすすめ』を執筆し、殖産興業と富国強兵を促して危うく日本が植民地になることを防いだ、よく調べて見たらものすごい方だと知りました。

不思議なことに、12年間毎日学んだキリスト教は、高校卒業後一切触れることもありませんでした。多くの友人が洗礼を受けたのですが、私は強い宗教への興味とともに、あふれるキリスト教とそのもとになっている旧約聖書に書かれている大本のユダヤ教に関しても違和感がありました。

お経と霊場巡りが大好きで、大学を卒業したころから僧侶になることを夢見ることがありました。

私の大学時代に、三島由紀夫氏が自衛隊の市川駐屯地を占拠して割腹自殺をしました。そんな折、三島由紀夫氏の『葉隠入門』（新潮文庫）という武士道の基本となる本を読みました。

これには「武士道は死ぬことと見つけたり」と書かれています。その後、死に向かい合う心得ということで石原慎太郎氏の推薦文のついた、港区にある龍源寺の住職であった松原泰道師の『般若心経入門』（祥伝社黄金文庫）という後にベストセラーとなった解説本を読んで、仏教にのめり込んでいきました。

仏陀が２６０文字という短い中に無の境地を弟子の舎利に説いたとされる、「般若心経」を暗記するのは簡単でしたし、経本なしで今でも毎朝唱えています。

「般若心経」を暗記した後は、「観音経」というお経も暗記して毎朝唱えていましたが、このお経は長いばかりではなく、５文字の似たような漢字の繰り返しが延々と続きます。今でも、時々唱えますが、今では経本なしではとても最後までたどり着けません。

24歳の時から頭を丸刈りにして、数珠を毎日首から下げており、経本も肌身離さず身に着けていました。河野家は日蓮上人がお祈りによって蒙古の大軍を滅ぼしたとされたときの先祖河野通有からの日蓮宗の信者であり、この宗教では般若心経のような深遠な無の境地をきわめて悟りを開くことは求めておりません。ひたすら「南無妙法蓮華経」と唱えることで全ての人々は救われるということが基本です。禁止されているわけではありませんが般若心経を日蓮宗で唱えることは先ずあり得ません。

しかし私は般若心経が大好きで、毎日でも唱えたのでした。お仲間とお伊勢様をはじめ西国三十三所を廻ったり出羽三山や御嶽山に登ったりして休日を過ごしていました。

ある高齢の女性と霊場を訪れた時、お不動さんはとても力があるし私の背後にはお不動様が守っている姿が見えると言われ、横浜の伊勢山皇大神宮の裏にある成田山の別院に連れていかれました。成田山新勝寺は真言宗であり、真言を唱えることにより願い事が叶うということを信じて、そこに祭られている不動明王に対する真言というのを毎回3回ずつ唱えることで、私の今までの願い事は全て叶ってまいりました。

これは宗教というより信念にもとずく習慣であり、昔の多くの日本人はこのようにして自分の願いを叶えてきたのです。

◆アルバイトも父のコネ、アフリカ生活も

私はまったく出来の悪い学生であるばかりではなく、アルバイトには父のコネで普通では絶対にあり得ない、上野動物園西園のアフリカ生態園での飼育係をさせてもらいました。包丁の使い方からオットセイの餌である鯵のさばき方やライオンの檻の清掃、こびとカバの飼育、マントヒヒの放たれている広い飼育場の中で清掃したり餌をやったり、貴重な経験をたくさんさせてもらいました。

園長のコネでの就業なので、飼育係のおじさんたちはみんなとても優しかったです。

特に父が可愛がっていた、後の東武動物公園園長となった西山登志雄さんはたくさ

んのことを教えてくれました。公園内のレストランのウエイトレスの二人の若い女の子たちとも仲良くなって、大学では勉強せずに動物園に夢中になってしまいました。

さらには、アフリカに大量の動物の買い付けをしながら、野生動物の研究観察をしながら、ハンターの勉強をするために大学は休学して、ケニアのナイロビ在住のイギリス人ハンターMr. John Seago のファームの敷地内のイギリス式の美しい暖炉のあるゲストハウスを提供されて、快適なアフリカ生活を楽しみました。

四輪駆動車としては当時最高峰のランドローバーに乗せてもらい、ナイロビ ナショナルパークへも何度も行きました。しかし、氏のライバルであるハンター大手のMr. Car Hartley という大物の招待で、当時日本では経験出来ないような、ベンツで未舗装の、あくまでも真っすぐ、どこまでも続く道路で、最高レベルの高速の運転で、広大なウガンダのファームに案内されました。縦横40キロ四方のファーム内には7つの小さなダムがあり、野生のカバが住んでいました。

土の壁、葺ぶきの屋根、夜はハイエナの遠吠えを聞きながら、不安な中での就寝となります。ディナーはとても豪華で、大勢の召し使いに囲まれて、ローストされたガゼルの肉や付け合わせの料理も、大勢の給仕が大皿を持ってひと席ひと席まわってきて、指さすと、それを好きなだけ私の皿に盛ってくれます。

次の給仕がまた次の料理を、大皿で持って回ってきて、指さすと、またそれを好きなだけ私の皿に乗せてくれます。こんな宮廷料理のサービススタイルを、アフリカの、大きな藁葺きのダイニングルームの大きな長テーブルで大家族、5人の息子と嫁と孫たちで毎晩やっていることにはとても驚きました。

また、ファームのスタッフのハンターたちはみんな銃マニアで、私に色々な銃を見せてくれます。

土地が広いので、銃は撃ちたい放題です。毎日、敷地内のトンプソンガゼル等を狩ってきて専属のコックが調理します。敷地内にいるシマウマを、6輪駆動のキャッチングカーと呼ぶ車で追いかけました。以前映画の『サファリ』で観たのと全く同じ経験ができるとは思っていなかったので、19歳になって間もない学生の私にとってはものすごいカルチャーショックでした。

この年の5月にはイーストアフリカン・サファリラリーが開催されて、日本の日産ブルーバードSSSが優勝したんです。これにはMr. Hartley Jr. も参戦していました。

この事で日本のステイタスはぐーんと上がっていました。

もう一人、タンザニアのダルエスサラム大学教授になったジェーン・グドールという若いイギリス人の動物学者に会いました。彼女はタンザニアの奥地でチンパンジーと長年暮らして、主にタンザニア・ゴンベ国立公園内がホームなのでした。私より10歳ほど年上で、本当にナチュラルで、まったくメイクアップはしないのにスリムでとても知的な美人で魅力的な女性でした。残念ながら、私は子ども扱いでまったく相手にされませんでしたが、チンパンジーの話を熱く語り合いました。

チンパンジーは人間とは遺伝子配列がほとんど一緒で、道具を使うことや肉食もすることを発見したのも、この美しい動物学者なのです。

ジェーンの実家があるということもあって、後に私がロンドンで暮らすことになったときの住まいもハムステッドにしました。ちなみに、ビートルズのレコードジャケットに映っていた、スタジオのあるアビーロードはハムステッドの隣で高級住宅地です。ウェストハムステッドのバス停から、毎朝ピカデリーサーカスの職場のジャパンセンターまでバスで通う途中で、毎日アビーロードのあの横断歩道を見るのが楽しみでした。

チンパンジーは人類の祖先、ホモサピエンスと、祖先が同じと言われています。ケニアの西側を南北に走る大地溝帯の西側で生息していた我々の祖先は、大地溝帯を越えて東アフリカから中東を経由して世界に拡がったというのが定説となっています。アフリカ人がもととなってヨーロッパの白人も、アラブ人、中国人も生まれたのだそうです。

笹川良一氏が「世界は一つ、人類はみな兄弟」という標語を流行らせたことがありましたが、本当に兄弟だと思うと、他人種とも親近感がわきます。

第二章でも述べましたが、その後日本列島がユーラシア大陸から分離してから長い年月を経て、中央のフォッサマグナより南の現在の形が出来上がりました。その後、とても複雑な地殻変動の末に関東から北の陸地が盛り上がって南の大陸と合体して現在の弓型の日本列島が完成したそうです。

このユーラシア大陸プレート、太平洋プレート、フィリピン海プレート、北米プレートのぶつかった不安定な地層の上に出来上がったのが日本列島なのです。だから日本列島のどこを掘っても摩擦による大きな力によりつくられた豊富なマグマがあり、莫大な地熱エネルギーが手に入るのです。

こんな危ない不安定な地層の上に、もう５０００年以上住んでいるし、そのために地震や火山噴火によって何度壊されても諦めずに住み続けてきた日本民族はすごいと思います。北から渡ってきた縄文人と朝鮮半島から渡ってきた朝鮮民族、モンゴル民族や、九州南西部で独自の勢力を持っていた弥生人等の微妙な組み合わせからこのがまん強くて勤勉によく学ぶ、同じ顔をしていてもまったく別の人種の、独特の文明と国民性をつくり上げたのです。

◆祖母の死と私の決心

祖母の死を聞いた時、私は、「いつまでも運転手をやっていられない。赤字の店を売って、その金で金貸しをする」ことを決心しました。

次の日、運送会社に退職願を出して、店の内装と営業権を１０００万円で売ることにして、買い手を探し始めました。生活費も、４万８千円の安アパートを引き払い、１万４千円の風呂なし共同便所のアパートに引っ越した代わりに、月賦でベンツの一番安いディーゼル車S300dの新車を買って、一番安い紺色の三つ揃い、ベスト付きのスーツと１０００円の白いＹシャツを買いました。

早朝から昼前迄トレーラーの積み込み、昼だけは自分のレストランのコック、午後から店の前に駐車しておいた満載のコンテナの配送、夕方からは一人でレストランで仕込みと接客という生活は、早々にやめて、願掛けのために酒とたばこと女性を断って、朝早くから事務所に行って、夜は酒を断ったうえで、毎晩客と関内で接待や付き合いをしました。

銀行や友人には嘘とはったりで金を借りまくって、月3%、遅延損害金であと3%の合法の範囲内で、辛口の取り立てで稼ぎまくり、その見せ金で友人たちから資金を集めて、伊勢佐木町商店街の入り口の角の文明堂の4階の古ビルの事務所での金融業は順調に業績を伸ばしていきました。エレベータもないし床は傾いていましたが住所は中区伊勢佐木町1丁目1番地でしたのでとても気に入っていました。

生まれてからずっと永い間、嘘もはったりも必要ない、営業は正直一本やりで成功してきたのです。今回は、どんな手を使っても成功して5億円稼ぐ。その金を見せ金にして、父親のビルを担保に100億の金融を達成するのが私の計画でした。

その為には親でも銀行でも、反社でもだまし続けることにためらいはありませんでした。相当無茶な人生を送っていましたが、法律を侵すことは一切ありませんでした。

最終的にはバブルの波に乗って貸金業と不動産業で大きな成功を収めました。

法律は良く学びましたから法律を破って問題を起こすことは一切ありませんでしたが、今思えば、31歳の時に父の願いで倫理研究所の富士高原研修所での倫理の勉強以来、倫理の勉強をしておりませんでしたので、法に沿った私の人生は全て正義だと思って自信をもって生きてまいりました。

私の事業の成功は亡き祖父と祖母の力だと思って生きてまいりました。

◆母の死と離婚の決意

母の大腸がんが見つかり、末期がんで手術不可能ということを知らされました。その後、妻に残り少ない母のもとで当分過ごすことを提案しました。妻は、母に女中代わりにこき使われることは明白なので絶対に渡米しないと言われました。

その時から離婚の決意を固めた私は、妻に会うたびに母が長年大事にしていた。高価な宝石や貴金属を妻に与えているのを見て、それとなく将来の離婚の可能性を話して、妻へのプレゼントを控えることを伝えました。

不思議なもので、本来この17歳年下で私が愛して結婚した妻の不満を口にすることに、つい言ってしまった一言に、母は激怒し、渡米中の私にすぐに出ていくように言いました。

私は、すぐにその怒りは治まると思って、翌日の便で日本に帰りました。今にして思えば「長年倫理の指導をしてきたのに、息子の嫁の悪口をいうのは許せません」という一言は、永年倫理を勉強し、周囲の人々を幸せに導いてきた母にとっては、大きなショックだったに違いありませんでした。

その後、しばらくして、私のもとに、ずっと母のもとで看病していた弟の妻から電話があり、母に謝罪する意思があるかを訊かれました。謝罪するまで母には合わせないと言われました。私は言いました。「あなたが何と言おうと、私は血のつながった母の息子であるので、危篤であるのなら、母が何と言おうと今から母のもとに行きます」と言いました。


翌日、横浜の母の会社に行きますと弟から電話があり、母の急逝を知らされました。結局、二度と母に会うことなしに、母は他界してしまいました。その後すぐに再び電話があり、母の死亡が知れると、国内にある母名義の預金は全て凍結されるので、即日どこかに移動する指示がありました。

実質上、母の実印や社長印を持っていた弟でしたが、葬儀の前にそんな指示があったことにいささか驚かされましたが、以前私が設立して、現在私の妻が社長を務めている会社に全預金を、ビル売却の手数料として振り込むことを提案しました。

即日大金が続々と振り込まれてきましたが、名義上とはいえ妻が社長ですし、絶えず億を超える残高を見ている妻は、元来浪費家であり、大手企業の社長となっていた実家の父のファミリーカードで、毎月数百万円単位で買い物や美容や会食の決済を重ねました。結局全てを使い果たした時点で、これ以上一緒にいても二人に将来はないと思い、私から離婚を提案しました。

妻は友人や家族に対して対面を保つために反対しましたが、後輩との不倫の事実も確信していましたので、その件は最後まで切り出さずに、離婚を強引に承諾させました。慰謝料その他の話はしないまま、離婚届に署名捺印したまま、翌日バンコクに旅立ってしまいました。翌週に赤坂に借りていたマンションに帰宅したところ、布団一セットの他全て運び出して、恋人の用意していたマンションに移されていました。

◆離婚後の海外レストランでの仕事

その後、バンコクでの人脈で、資金を募って、離婚時に妻に与えた赤坂一ツ木通りのすぐ隣の赤坂三筋通りにラクリマクリスティー（キリストの涙）というイタリアンの小さな店をオープンして、昼は私一人で食べ放題のランチパスタメニューで毎日店を満席にしました。

夜はパルマ製の生ハムを中心に、オリジナルのイタリア料理を提供しました。赤坂は若いＯＬがいくらでも雇える立地でしたので、数人の女性を雇って、アルコールの提供が中心になっていきました。

一人で経営をしていくことには限界がありましたので最終的には店を手放して、伊豆の長岡で友人が数人で集まってビルの３階で経営していたロシアンクラブの一階上の４階にあったフィリピンクラブでコックをさがしていたのを聞きつけて、そこに調理師として就職することになりました。

一年ほど経った時、私が以前投資していた大学同期の経営する英国ロンドンの大手法人向け食品スーパーで和食レストランを開業することになったので、取締役としてビザを取得してくれるということで英国へ永住することを条件に、寿司、刺身、天婦羅を独学で会得したうえで、全てを売り払ってビザが下りるまでの数ヵ月ほどを、伊東港に所有していた30フィートのヨットの中で過ごしました。

近くにサザンクロスという名門のゴルフ場があって、丁度キャディーを募集していました。私はゴルフが大好きでしたので、迷わず応募してキャディー見習いとなりました。そこは全てがゴルフカートでのプレーでしたので、その分キャディーの負担が大きく、とても苦労しました。

その代わり午後4時以降のセルフでのプレーが許可されていました。しかしお客様が打ったあとの穴を埋めるための5kg以上ある砂袋を担いでカートの後を走って追いかけるのは中年を超えていた私にはとても厳しかったのですが、グリーン上での色々なキャディーならではの専門知識を学べることもあって、毎日続けることになりました。

3か月ほどは伊東港のヨットでの生活だったので、毎週末クルーズに参加していた友人たちからはボートピープルといって笑われましたが、船上での生活は私には快適でした。ビザが下りたということで、急遽準備して次の週にはロンドンで生活することになりました。

◆イギリスでの出来事

若い料理長のもとで私は特殊な立場でした。取締役であり、和食以外の調理経験は、合計して20年ほどありましたし、調理師免許を持っているのは私しかいませんでした。それまで10年以上父と母の倫理の実践による変化を見ながら、社員に毎朝の朝礼で、あいさつやお辞儀の練習をさせて、早起きや、時間や約束を守ることを教えてきたのに、そのことは全く忘れておりました。私は、このロンドンの日本人向けスーパージャパンセンターの社長の恩人であり、最年長であり、調理師であることなど、全てで私が優れていることを過信して、毎日を私なりに充実した気持ちで過ごしていました。

今考えてみれば、全く人として駄目な、いやなジジイを地でいっていたようです。

5年後のビザの更新で、親友と思っていた社長から拒否されて、順調に行っていたはずのパーマネントビザの取得がキャンセルされてしまったのです。

私は法的には全く非がなかったので、契約違反と私のビザ発行への継続的な協力、ビザ申請時に契約書に書かれていた差額分の未払い給与の請求等で争い、ある程度の金額で勝訴しました。

イギリスでは医療費は原則無料、賃貸契約、労働契約、入国管理等のトラブルや訴訟の為の無料の弁護士のあっせん等の相談窓口があらゆるところに設置してありまして、気軽に相談することができます。労働裁判も、パソコンから簡単に提訴できます。その為の通訳も無料でお願いできます。

日本でも似たようなシステムはありますが、相当の経験と学力がないと、個人で提訴し勝訴して、有効に活用することはできません。その意味では、一般的には危ない地域が多いロンドンのイメージが強かった私にとっては、大きな驚きでした。

訴訟には2年近くかかりましたので、結局7年間過ごして、ビザの発行はなりませんでしたが、納得の結果で、ロンドンで知り合った仲間とベニス観光をしてから帰国することになりました。

◆帰国後の生活

永年高額な年金保険料を払い続けて来たので当然豊かな年金生活を夢見て帰国して、一番に年金事務所を尋ねました。年金受給には正味25年間の支払い継続が必要なところ、19年しか支払いをしていないとのことで、支払いを拒否されました。

とてもショックが大きかったのですが、よくよく聞いてみると国外に居た期間が控除されるのでその証拠を示せば支給の可能性があるとのことでした。国内の色々なところに捨てずに残っていた5冊のパスポートをかき集めて、過去30年以上の出入国の期間をぬきだして表にして提出して計6年分の海外生活の証明がかろうじてできました。おそらく１００回以上の出入国をしていたはずでしたが、そのすべてを証明するほどのパスポートを全て揃えることができませんでしたが、かろうじて幸運にもその一部でも証明できとことはとても大きな助けになりました。

その時点まで未支給だった金額と、英国での勝訴のお金で、以前私が伊豆長岡にあったロシアンクラブを安く買ってあった店舗も売り払って、沼津駅前の１５０席の和食店を買い取って私の技術と資金で友人たち数人で寿司店を開店しました。

その当時、旬な名前だった「海老蔵」という名前でしたので、とても繁盛しました。そこでも私は慢心して、寿司の技術を教えた後は当然のように友人たちをあごで使うようになりました。

ある日店に行くと、私の店ではないと言われて、入店を拒否されることとなりました。当然私の登記した会社名義の契約でしたので、関与した不動産会社に言って彼らを排除しましたが、さすがに私一人で寿司を握りながら全てを運営することはできませんでしたが、店を閉める気は全くありませんでした。当分の間たった一人で店を開いていましたがさすがにお客様を待たせたり、メニューを間違えたり、2時間飲み放題食べ放題が4時間経っても提供しきれずにお客様がへべれけになるまで帰れなかったりと、厳しいながら営業を続けていきました。

◆店名「なみへい」

このようなことは赤坂のお店でも何度かありましたので、従業員がいなくて店舗を閉めたことは一度もありませんでした。しかし、さすがに150席の店を休みなしに永遠に続けていく根性は私にはありませんでしたので、私の赤坂の寿司店で働いていた若い女性を説得して、伊豆長岡に借りていた2DKの安アパートの一室を無料で提供して、アメリカ人の婚約者がいるこの女性を4か月間で80万円を貯めて渡米できることを確約したうえで、若い女性と共同生活が始まりました。

彼女が勤め始めてからしばらくして、この店の名前の芸能人の方が事件を起こしまして、その日以降の宴会の予約は全て取り消されまして、来店客もほとんどなくなりました。店の名前を変えればまた復活すると思いましたが有名人の名前にして、また事件を起こされてはたまりませんので悩んでいると、その女性の従業員が「なみへい」というのはどうでしょうか?と言うのです。なぜか? と訊くと、「この名前の実在の人物にはあったことがありません、普通の名前ありながらまれな名前であり、漫画サザエさんの登場人物である波平さんはとても事件を起こすようなキャラクターではありませんので一番無難な名前ではないでしょうか?」というのです。

私の祖父の漢詩の中で有名な「祝賀の詞」という作品がありまして、その一節に「四海波平らかにして　瑞煙漲り」とありまし、この名前が気に入りました。

この店名で急遽翌日から宣伝したところ、その日から、今まで以上の繁盛店になり、沼津駅前商店街の店主たちからも【なみへいさん】と呼ばれて親しまれるようになりました。それ以来、私の名前は【なみへい】になりました。

話は戻りますが、私がロンドンで働いていたころは1ポンド250円ほどでしたので毎月の２５００ポンドの月給は、社長の投資目的で買っていたマンションでの生活費ただの生活では、お酒を断っていたこともあり、ほとんどが貯金に回っておりまして、数カ月に一度程帰った間に、友人の所有していた赤坂見附駅前のエスプラナード赤坂通り地下２階の４年間全く借り手のないスナックバーの話を聞きました。

私は、ロンドンで寿司と刺身と天婦羅を毎日調理して、自分では相当腕を上げたと思っていました。

しかもロンドンの店は、ピカデリーサーカスという日本でいう銀座４丁目のような通りなので毎日大量の天婦羅、寿司、刺身のテイクアウトも含めた調理をしていました。ですので、調理のスピードにも自身がありましたので、一人でできる小さな寿司店で天婦羅の手巻き寿司を含めたお店として開店することを計画していました。

帰国の際に家賃半額、敷金、権利金の類も一切ない形での契約を持ち掛けて、了承されたので、ロンドンにためてあった現金全てを持ち出して黙って日本に帰国して、早速開店しました。一切人を雇わず、築地で毎朝安く仕入れた食材で、昼は９８０円握り寿司、天ぷらはじめ全て食べ放題、夜は当時創刊したての、リクルートが始めた無料冊子への、食べ飲み放題２９８０円の広告で１か月余りで行列のできる繁盛店にしました。

◆メディア出演

はじめはBS1というNHK局の取材で大トロを捌く映像を撮ることを求められて何もわからずに協力しました。大トロの1kg分の代金を当然のこととして請求しましたら、「宣伝効果は大きいので映像にして流しただけありがたく思え！」ということでした。

その後その番組を見てキー局の昼のバラエティー番組のランチ取材で、国民的美少女コンテストで優勝した女性が来ました。その女性には普段のネタの3倍くらいの大きさのネタを乗せて提供しました。一緒にいらした赤坂の懐石料理の先生には小型の安いフカヒレのスライスの天婦羅と凍らせたチリ産の安いウニの天婦羅と生湯葉と生麩の天婦羅を提供しました。

いずれも私のオリジナルで、その若い先生には生まれて初めてのものなので、私が作り方を教えました。

その後、当時『カワズ君の検索生活』という人気番組で日本全国2位となったらしく、地元TBSの『2時ッチャオ！』という人気番組に出演して人気タレントに天丼を提供することを依頼されました。東京の「天丼ベスト3」ということでしたが、私は当時出演していたデーモン閣下というタレントを含めて6食を提供することを求められました。たまたまその日はその時間に北海道の野球チームのスターだった選手の引退会見があるということで、予定が2時間も遅れて、裏の控えのスペースで温まったネタの前で待機させせられました。

「このままではまともな天丼は提供できません」と伝えると、6人分を出してもそのデーモン閣下が完食すればいいので、他は映らないしコメントもないということでした。ウニの天婦羅、フカヒレの天婦羅、小さい伊勢エビを6等分した天婦羅等を乗せて提供しまして見事に完食してもらえました。

ところが、価格を訊かれて980円と答えると、「なぜ、そんなに安いのか?」と突っ込まれましたが、まさか、

「チリ産の安い冷凍ウニをたっぷりの衣で包み、高級店では提供できないくらい小さなフカヒレを超薄切りした衣たっぷりの天婦羅と、6等分した超小型の伊勢エビの天婦羅とでは980円でも2倍は儲かっています。しかも、従業員のいない家賃半額の、ただのスナックのカウンターに中古のネタケースに、黄色の壁紙を黒く塗っただけの、小さい板に店名を入れただけの、総工費7万円の店での販売ですから…」とは言えませんでした。

「お財布の軽い一般のサラリーマンの方々に喜んでいただくため…」
とだけお答えしておきました。

その後、同じ地下2階にあったクラブもしまってしまったので、同じ条件で借りて店の規模を2倍にして、夜は若い女性に寿司の握り方なども教育して順調になった店の経営を信用のできる従業員に任せて再びロンドンに戻りました。

◆立ち退き

友人のビルのオーナーに店の売上金はお願いして、女性たちの管理も任せました。その友人は女癖が悪く、数か月の間に店は閉店に追い込まれてしまいました。

全てが彼の責任でしたので、何も請求しないまま数か月が経っていました。私が帰国して店を立て直すこととなった途端に、全額の一括請求をしてきました。地下2階を一括で借り入れる方が現れたらしく、いきなり私に立ち退きを求めて訴訟になりました。結局、裁判官が私の損害を認めて無償の和解を勧めてきましたが、最低１００万円の損害賠償を求めて一切譲りませんでしたので、決着がつかずに私の立ち退きが言い渡されました。

その間に、伊豆長岡のロシアンクラブを安く買収していたので、そこでクラブの経営に専念することになりました。ロシアンクラブと言っても、ルーマニア人、ウクライナ人、日本人も雇いました。伊豆長岡は西からも東からも新幹線三島駅を降りてからタクシーでも来れる距離なので、西と東の反社会的団体の方々の社交の場となっていました。

特に、ロシア人女性はプライドが高く、少し体を触られただけで、怖そうなお兄さんの頭をひっぱたくので、いつも騒ぎになりました。毎回スタッフには、「絶対に、お客様の頭を叩かないで下さい」と強くお願いしていました。

そのほかにも、二人の子持ち、日本人と既婚46歳なのに26歳独身で学生ビザで来日しているなどと嘘をつく、やり手ロシア人ホステスが、客に携帯電話を買わせたところ、客はナビを起動させていて、女性の家庭に踏み込んだりと、トラブルが絶えませんでした。

この時も、順調になった頃、外人の扱いにうんざりしていた私は、几帳面で、まじめな、友人の彼女のルーマニア人に経営を任せて、再びロンドンに行きました。

しかし、私が一番気に入っていた売上ナンバーワンの女性をママにした結果、女性同士のバトルが始まり、結局その女性をいびり出してしまい、いきなり売り上げは半分になって、それまで順調以上で、好き勝手に店を牛耳っていた、友人の彼女の女性が多くを使い込み、再び店が窮地に陥ってしまいました。頼りにしていた私の友人は、彼女に頭が上がらず、だまされてルーマニアに車や土地や家屋を買い与えて、彼女はルーマニアでは有数の金持ちになっていました。

私が帰国した時にはロシア人とルーマニア人は店の資材を全て持ち去り、悲惨な状態でありました。

連絡が取れるのは、子持ちのまじめな日本人の二人のホステスだけでした。店を処分して再び沼津駅前で寿司店を開店するということとなったのでした。

その後は、店を売り払って福島に移住し、除染ボランティア活動に挑戦した後、東京の大手ホテルの有名シェフたちに師事することになりました。

◆金持ちになる方法

30才前のことです。野生動物の事業は、当時成立したワシントン条約により、厳しく規制されることになっていたので、私はこの仕事を継承する気はまったくありませんでした。そこで、家賃収入を軸にした方がいいと思い、私の提案で石川町駅前の本社兼飼育場兼住居を取り壊し、当時、中区石川町内で一番の10階建て４０００坪のビルを建設、同時に中区山手町に３４０坪の土地を購入して豪邸を建てることになりました。

私の読んだ本は『吾輩は猫である』からはじめて漱石全集すべて読破したあと太宰治の『人間失格』を読んでしまったことで太宰治全集読破から芥川龍之介、三島由紀夫『葉隠入門』司馬遼太郎『竜馬が行く』、松原泰道『般若心経入門』、高木彬光『白昼の死角』から、カッパブックスで手形小切手法、債権取り立て法、金持ちになる方法、いろいろ学んだ結果、金持ちになったあと、何をしたいのか決めておくことが大切だということを学びました。当時、国のために一生懸命働いた高齢者の為の養老院が足りないことを知って、このことを最終目標とすることに決めました。

金持ちになる方法は、儲かる事業を複数展開していくことで年収１００億円を目指すことにしました。政治家になって日本を北欧並みの福祉国家にすることを目指すつもりでしたが、私の尊敬する祖父の後輩である横須賀湘南病院の理事長の瀬田良一氏から、「政治家は、リスクが大きいのにお金にならない職業だからやめなさい。お金をたくさん儲けて、政治家を動かせる人物になりなさい」と言われて、まず、合法な範囲内で、最大限お金が儲かる職業として、不動産投資、貸金業、パチンコ店、ナイトクラブやキャバレー等の飲食業を目指すことにしました。

将来政治家になることもあきらめてはいなかったので、絶対に法律違反することがないような生活と事業展開を心がけて来ました。母の勧めで富士高原にある倫理研究所富士研究センターで学び、自社の朝礼での７つの行動指針はとても分かりやすく、私はすべて実行することに集中しました。社員もまったく問題を起すことなく毎朝の朝礼を続けていきました。

私は、倫理をすべて理解して決して法律を犯すことはなく、いつも正しいことをしているつもりでいました。

しかし、ある日の夕方、当時再婚したての17歳年下の若く美しい妻とロールスロイスで外苑通りを走っていたとき、メインバンク三菱銀行の融資担当から電話があり、「今まで１００億円に見積られていた父のビルの鑑定評価が10億円になってしまったので、今まで60億円であった根抵当範囲内で借りていた46億円の融資の超過分36億円となり、以後一切の融資は出来なくなってしまった」とのことでした。

当時の宮沢政権の方針であった総量規制によって、私のような貿易業主体の会社が不動産に投資している融資金額は速やかに回収することになってしまいました。不動産鑑定士の友人に確認したところ、一坪５００万円以上の鑑定をした鑑定士は、今後一切の公的鑑定の仕事ができなくなるべく通達が出ているとのことでした。

三菱銀行横浜駅前支店との話しあいで、全ての借入金は父の会社が引き受けるかわりに、返済は、当分の間免除し、金利も半額以下に設定し直し、この40年以上続いてきた父との取引を継続する提案でした。父のビルの収入は月１０００万円以上ありましたので、父と母は以前とまったく変わらない収入を保証されていましたが私は両親に呼ばれて、会社を閉めるように説得されました。倫理を真面目に実践してきた両親は、以降、死ぬまでお金に困ることはありませんでした。

不思議なことに三菱銀行は家賃収入のうちから毎月負担にならない程度の金額以上

の取り立てはしませんでした。私は三菱銀行の担当とそのあとの円満な手仕舞い（株式や為替などの取引において、保有しているポジションを決済することにより、現金化すること）のスケジュールを話し会い、当時東京港区の紀尾井町にあった、さくら共同弁護士事務所でトップの弁護士を紹介されて、会社の精算をお願いしました。

結局、11月23日に会社を閉めることを三菱銀行と取り決め、23日祭日の為25日の神奈川新聞と日経新聞に掲載されてしまいました。債務総額50億円以上の事件は帝国データバンクは方針として公に発表することになっていたとのことでした。父の指示で私がタイ国に建設してあった3万坪の飼料製造会社に当分お世話になることになって、若い新妻を連れてバンコクに行くことになりました。その後14年間はタイ国を起点として生活をして行くことになりました。

タイ国から日本の得意先に毎月大量に輸出していたペットフードの実績によってかなりの金額が私の銀行口座に振り込まれました。しかしその後タイ国側のパートナーの裏切りにあって、毎日会っていたのに、一切会うことができなくなりました。振り込まれていた金額はまったく振り込まれなくなって、生活に支障をきたすようになりました。

その日の生活費にも困るような日々がしばらく続いていたある日、突然母がバンコクの35坪の自宅を訪れました。

無職だった私たち夫婦の部屋を一等地の70坪の部屋に移し、近くに日本人顧客専門の美容院を開業することを提案し資金を置いて帰って行きました。

美容関係には詳しかった妻は、東京の行きつけだったカリスマ美容師を毎月招いて、高級美容院を開業して、私は、毎朝妻を送りに行った後、ゴルフを1ラウンドやって、夕方妻を迎えに行く典型的な髪結いの亭主状態はしばらく続きました。

朝晩の食事は、当然調理師免許も持っていて、前妻にもつくっていた手料理の他に、妻の注文により、一流料理人のレシピとおりに毎晩つくっていました。

◆福島県への移住

私が長い外国生活に終止符を打って英国から帰国して沼津駅前で寿司店を開店してからのお話に戻りますが、その後の10年間は色々なチャレンジをして、それなりに充実した経験をさせていただきました。

福島県への移住後に、完全会員制ホテル東京ベイコートクラブの調理師募集に応募して面接を受けました。舞浜でのアランデュカスの料理長であった宮崎シェフ、銀座の有名イタリアンレストランエノテーカピンキオーリの料理長であった辻シェフ、その他ホテルニューオータニのトゥールダルジャンやジョエルロブションのシェフたちを集めた超一流会員制ホテルでしたので、私の趣味程度の年配者は絶対に受からないと思っていましたが、面接時に今まで行ったレストランでの印象を聞かれ、たまたま贅沢でセレブ好きの先妻のおかげで、これらすべてのレストランに行ったことがありましたので、その感想を述べたところ、そのおかげで採用が決定されたようでした。

今まで趣味でやってきた数々の料理経験の集大成としてこのような超一流ホテルで働いて、一流の料理人の横で調理を見学できることはとても名誉なことだと思って、同じ有明エリアの豪華な従業員寮に引っ越して本格的に料理の勉強をすることになりました。給料はとても安かったのですが、長岡のロシアンクラブと沼津駅前の寿司店を売って借金を払った残りの数百万円で資金運用を始めていましたので、何とか生活は維持できました。

ただし、新入りのコックの仕事環境はとても厳しく、しかも同じに入社してきた若手のコックたちとも出世競争に参加することとなり、多くのいじめを生まれて初めて経験しました。テレビドラマなどで観てはいましたが、これほどあからさまに行われることは、私にはとても新鮮に思えて、全く苦になりませんでした。

幸いフレンチの宮崎シェフは帝国ホテルからフランスのアランデュカスの本店で修業してきた人で実質上の総シェフとして全てを仕切ってきた人でしたが、私より年下ではありましたが、私の学歴や料理歴を全て知っていましたのでよき理解者となってくれました。

競争相手の若手料理人たちから寄せられる私に関する多くの嘘の報告を受けても、すべて私に教えてくれました。手が震えていて仕事が雑で遅い、記憶力がなく、教えたことはすべて忘れてしまう、仕込んだサラダに紫キャベツの芯が入っていたのは私の仕事だとか、すべての失敗は私のせいにされました。

特に、このキャベツの芯混入に関しては、私が始末書を書かされました。「これは明らかに私の切り方とは違いますが…」と書いてその理由を合理的に説明したうえで謝罪文を書きました。先輩のコックに倉庫の奥に連れていかれて、あまり抵抗せずに黙って罪を認めておくようにアドバイスされました。

私はロンドンのレストランで一日に何尾もの大きなサーモンを捌いていましたので、毎週のスモークサーモンの仕込みもとてもうまくやれました。特に魚の皮を引く作業は新人ではとても難しいものでしたし、川魚は皮が薄く身が柔らかいのでとても難しいのですが、私の得意分野でしたので他の先輩コックの追随を許しませんでした。

包丁では毎日２００キロ近い野菜やフルーツを切らなくてはならなかったのですが、野菜係を任された私は特にオニオンスライス、サラダ用の玉ねぎの薄切りが得意で、薄くて早く切れるように安いがペラペラな極薄のステンレス包丁を使用していました。

総料理長が私の後ろを通るたびに、コツコツと特にたたきつけるようにしてスライスしていました。あまりの速さに先輩の主任シェフがたびたび早すぎる私のスライスした野菜がつながらずに完全に切れているか確認しに来ましたが、私の仕事は完璧でした。

毎朝、寮ではオムレツを焼いてレストランでは朝食時に客の目の前で調理するオムレツと、自家製パン、以前赤坂の自店での鉄板焼きでの腕前を披露できることを夢見ていましたが、実情は、それらは3年ほどの勤務の間は一切させてもらえませんでした。毎晩１００人前後での宴会の仕込みと盛り付けをやるのも日課のようになっていました。

人数分の皿を並べて、前菜の盛り付けをするのも緊張しましたが、とても勉強になりました。宴会では、和食の時も、中華の時もありましたが、フィレンツェの三ツ星レストランで学んできた当時の超一流のイタリア料理人であった辻シェフが、実質的な総料理長であった宮崎シェフの休みの時のメニューを任されたことが3回だけありました。

宴会用の大きな調理場はイタリアンレストランの数倍ありましたし、スタッフも揃っていましたのでとんでもなく素晴らしい料理を作って、私たち料理人に実力を見せつけました。この方はのちに実質的な総料理長となっていました。

このイタリアンのシェフは、とにかくフレンチの料理長に対する競争意識が半端ではなく、一般的なホテルではフレンチが西洋料理の頂点だという常識を覆したかった強い思いを感じるような鬼気迫る迫力で、この宴会料理に向き合っていらっしゃいました。この方の料理長を務めるイタリアンレストランは唯一会員以外のお客様でも入れるように遊歩道に面したところにも入り口があります。

三年目に入ったころ、突然の社員寮の全室検査があり、私の部屋が乱れていて汚いとのことで、それを理由にして即日の退去を命ぜられました。突然のことでしたので、墨田区にあった小さな区割りで即日借りられる貸倉庫に引っ越しました。１坪以下の狭いスペースでしたがなぜか共用のトイレと洗面所が備わっていて、一階にはコインランドリーとレンタルシャワールームがありました。

毎日部屋にあったすべての私物を自転車で少しずつ運び出して、そのたびにカビや黒ずみを完全に元に戻すように磨き上げました。完全に元に戻さない場合は業者に依頼してしまうので、あとからその分最後の給料から差し引かれるとのことでした。

料理長からは、下働きではなく、宴会時の最後のステーキやオーブン料理を任される焼き場をやるのであったら残れるように上と交渉してくれるということでしたが、フレンチの料理長は典型的なパワハラ常習者であり、このスタイルが当時の一般的な調理場の常識ではありましたが、私にはとても耐えられないので、お断りしました。

◆生活保護の申し込み

数百万円あって、８８８倍で運用していた為替取引は、セーシェル諸島に本社がある会社でしたが、利益を上げてもなかなか返金しにくいシステムになっていて、そのころの急激な円安によって損失を繰り返して破産状態になっていましたので、迷うことなく住民票のあった江東区役所の生活保護課に行って生活保護を申し込みました。

事情を聴かれて、即刻生活保護の決定が下されましたが、前日の宿泊場所を確認されて墨田区の倉庫の住所を答えたところ、前日に泊まったところが基準になるので、生活保護決定は取り消されて、墨田区役所に行くことを勧められました。預金通帳にまだ数十万円残っていたので、残高が1万円以下になったら残高を記入した通帳を持ってくるように言われました。

審査の過程で、プレジャーボートが夢の島マリーナの置き場に放置してありましたので、それも維持費の支払いの代わりにマリーナに引き渡しました。貯金も資産もない状態で再び墨田区役所を訪ねましたら、やはり倉庫は住所登録できないので、住所不定の路上生活者に分類されました。台東区役所に専用の窓口があるということで訪れたところ足立区にある路上生活者専用の施設にマイクロバスで連れていかれました。

大型のサムソナイトの旅行ケースにすべて詰め込み、墨田区にあった倉庫の布団その他の私物はすべて粗大ごみとして処分しました。

朝晩の食事はそこで提供されましたし、隔日の大浴場での入浴も快適でした。おまけに毎夕7時になると1000円ほどの現金が昼食代その他の経費として支給されました。8人部屋でカーテンで仕切られていたのでプライバシーもかろうじて守られました。

　そこは3ヶ月限定で、その間に毎日求職活動をしたり、運転免許取得やパソコン教室やいろいろなスキルを身に着けて社会復帰を支援する場所でした。毎週理髪店から出張してきてくれるので快適な寮生活を過ごせました。３か月の間に職業を決めて定収入が得られるようになり西大島にある施設所有の１Ｋのアパートに移って通常の生活に戻る訓練を一ヶ月間した後で、自力でためた敷金で曳舟にある１Ｋの安アパートに個人名義で契約して移ります。

　身元保証は専門の業者を紹介してもらって、家賃と同額の手数料でやってもらえます。就職祝いに6万円ほどが支給されて、靴や衣服を買いそろえられます。この制度のおかげでとても助けられましたが、私の場合は充分な年金の支給もありましたし、労災での後遺障害の請求や、失業保険からの休業補償も後々受けられましたので、全く快適な生活を過ごせました。

　さすがに毎週食事会をしてきた女友達には事実を報告できずに面目を保ち続けていました。自立してからのはじめの職場は平和島にあるはとバスの基地の社員食堂でした。

私の履歴書はとても立派なものでしたので、次期料理長候補として雇われたのでしたが、それは、私が強烈ないじめを受けて退職を申し出た時に初めてわかりました。そのいじめは、料理長だけでなく、パートの女性たちすべてにいきわたっており徹底したものでした。数週間後にあまりのいじめに耐えられず事情を上司の部長に伝えて退職しました。

ただのバイトのオヤジに、そこまでの失敗や一挙手一投足を、上の事務所にまげて伝え続けるいじめに、恐怖さえ感じるようになっていたので、その後に面接を受けたお台場のステーキレストランに就職できた時はとても幸せでした。

その大手レストランチェーンは厳しい衛生管理と従業員管理で、旧態然とした前の職場とは全く違いました。そこにはたびたび訪れて、その料理の味や、とくにサラダの野菜の切り方は毎日１００キロ単位で切っていた私よりもはるかに美しいと思えたものでしたので、とても期待して就職しました。そこでも野菜のカットを主体に仕事をしました。野菜のカットはとても厳格で、すべては写真入りの指示書によって、だれでも同じものが多くの訓練をしなくても提供できるようにミリ単位で規定され、目の前の棚のサイドにはメジャーが張り付けられていました。

班長がまわってきてはサイズをチェックされました。ここでは防刃手袋の上から調理用手袋をはめての野菜カットが義務付けられていました。初めはこれには苦労しましたが、慣れてくると切り損ねてもゴムが破けるだけなので、全く気にせずにとんでもなく速いスピードできれいなスライスができるようになりました。

特に店長やマネージャーが近くにいるときは、手元も見ずに話しかけながらものすごい速さで包丁さばきを見せつけるようにしていました。特にこのレストランではレタスのスライスが多く出ますので、これを切るのが毎日の一番楽しい時間でした。

◆就職したレストランでのトラブル

それでも2年も経過するうちに問題が起こりました。

私は以前に胆管が詰まる病気で癌と間違えてすべての胆管を切除されていますので、少しのおなかの不調や下痢の時には必ず黄疸が出て入院が必要になるのです。朝からひどく調子が悪くて、途中下車して店長の許可を受けて病院に行ってからの遅い入店の許可を取りましたら、人員は間に合っているので欠勤して良いと言われました。その後、再び調子が悪いときがありまして勤務後にマネージャーに翌日の朝6時出勤を9時半出勤にしてもらう許可を求めたところ、突然怒鳴りつけられました。

私はよく料理のセンスの全くないマネージャーを批判する会話を隣で作業するバイトの主婦たちとしていましたので店長に目をつけられてはいました。しかし、私は悪意を持って批判している気は全くありませんでしたので、思わず言いあいになりました。前の調理場でも、その前の調理場でも私が最高齢でしたし、バイトを含めたキャリアはいつも私が最長でしたが、この世界で高齢は必ずしもアドバンテージにはなりません。高齢による能力の低下ということが攻撃の理由になるのです。

間もなく現場の6名の署名入りで私の解雇を希望する書面が、唯一私を評価していた仲の良かった店長を飛び越えて本社に提出されたのです。本社の幹部に呼び出されてこのことを伝えられました。私は仕事は一番遅いし、教えたことはすぐに忘れるし、調理したものはまずいし、使い物にならないので、即刻解雇するべきだという内容だそうでした。店長に相談したところ、店長は全く知らない様子でした。

私は日に日に増える仕込みをランチタイム前までに完了するために、店長の指示で、毎朝6時前に出勤して仲間も使えるように10本ほどの店の包丁と自分の包丁を研ぐことから始めていました。週末や休日の前はいつも終電に間に合わずに店の事務所で仮眠をとっていた店長と、よく顔を合わせることがありました。店長に言われたつまらない雑用の手伝いも率先してやっていましたし、味のチェックや料理の意見も唯一の調理師免許保持者ということもあり、店長からはいとも敬意をもって接していただいておりました。

結局、そのような理由で解雇することは違法だということで労働基準監督署に訴えまして、１２０万円の補償を求めました。「斡旋《あっせん》」という制度で弁護士等の資格を持った調停委員を介して交渉の末、会社側が90万円支払うことで、即刻辞職することになりました。

ワタミの経営していた老人ホームの高齢者用の特別食や毎朝の硬軟３種類の食事を作ったときにも私が最高齢で、若い料理長や管理栄養士と対立し、体調が悪いときに退職を勧められましたし、読売新聞社の社員食堂でも古株の主婦のバイトと対立しました。

次に派遣で入った信用金庫の社員食堂では、年下ですが年の近い料理長のもとで働きましたが、大手のレストランを渡り歩き、長いキャリアがある調理師の資格がある私は最強の片腕となりました。

料理長が休みたいときは私がいたので安心して休むことができましたので、最強のコンビとなりました。初めはいろいろなことを試されました。寿司店も経営していましたし、代表的な中華料理は大体レシピをチェックして一番良いと思われるものを何度も出していましたし、ということで出来合いのアナゴにかける甘ダレを造らされたり、キャベツの千切りを試されました。キャベツの千切りはランチには絶対不可欠なのですが、スライサーを使わずにわざわざ自慢の自分で毎日疎いでいる包丁でやっていて、絶対にバイトの主婦にはやらせませんでした。私はこの店長に勝つには、以前やっていたように防刃手袋を、支給されていた調理用手袋の下にこっそりつけてキャベツの千切りをやらせてもらいました。

私の一番大きな包丁は、昔ながらの鋼の包丁で安いものでしたが、すべての包丁は何年もかけて正常の角度よりはるかに角度を鋭く研いでいましたので、一般のコックの包丁よりはるかに切れるのです。これは以前のホテルの時からでしたのでその時も部下のコックの包丁は絶対使わなかったシェフは私の包丁しか使わなくなっていました。

信金の社員食堂の料理長は私に挑戦してより早くより細いキャベツの千切りを目指すのでいつも手を切っていました。

その後、私は包丁で手を切ったことは一度もありません。私の良く切れる包丁を使っては首をかしげていました。通常はプロの常識として刃の角度に合わせて研ぐのが基本です。すると価格の高い包丁の方がよく切れるのが当たり前でして、あまり角度を変えて研ぐといろいろな不都合が出てきます。刃がすぐに欠けてしまったり、逆にいくら研いでも切れなくて、そのまま角度を色々変えて研いでいるとどんどん切れなくなって、その後にプロの研ぎ師に頼んでも簡単にはもとに戻りません。

いろいろ試されましたがすべて合格して、しばらくはお互いを認め合う良い関係を築いていきました。しかし、3人の主婦のバイトは絶対に認めることなく、私よりもはるかに高齢の女性のバイトには頻繁にいじめられて、ほかの主婦たちもそれに続きました。

ある時食堂の業務用のコーヒーの素が頻繁になくなる様になり、ある時私のロッカーに入っているのを見つけて店長にそのまま見せてお返ししました。

そのうち私が反社の組員であるという訴えが銀行幹部に伝えられて、料理長に呼ばれて確認されました。このことは決定的で、いくら証明しようとしても、外部からの委託で入っている業者なので、銀行幹部には一切通用しませんでした。結局、職場の移動を指示されてしばらくは自宅待機していました。そのうち担当の課長が移動となり、私は失職しました。

その後も不動産の宅建の免許を持っていましたので大手不動産会社のアルバイトをしたりしていましたが、高齢者には冷たい社会だということを痛いほど味わいました。年金はそこそこの額が各月で振り込まれていましたので、自分でパンを焼き、うどんを練り、ピザを焼き、生パスタをつくり、寿司やそば等の外食もしないし、出来合いの総菜も一切買わず、白い米は食べずに大麦を3倍の水で焚いて毎日食べていましたので毎月の食費は5千円ほどでした。

全く不自由は感じず、食べたいものがあれば自分で一から作ることで、自分の健康管理が確立してきており、無料のシルバーパスが使える範囲で行動する分には一切お金はかかりませんでした。

基本的には晴れた日には何時間かかったとしても自転車が基本で、アルミタイプの軽い電動自転車と、21段変速のスポーツタイプの自転車を買いました。さすがに重い主婦用の鉄の自転車での長距離はできなくなりましたが、雨の日や都営交通の途切れたエリアは何キロでも歩きました。

昔の私の生活を知っている友人たちは、それを聞くと、どんなにひどい生活をしているのかと思って、私を憐れんでくれたりしました。

◆私の心臓と腎臓

実は、私の心臓は冠動脈にいっぱい白い影がまとわりついています。石灰化といって動脈硬化の類かと思われます。すぐに入院してカテーテルというワイヤーを入れて、狭まった動脈を広げて、ステントというステンレスの細かな網の管を入れて血管を拡張させる手術で、一般的で安全な手術だと聞いていましたのですぐにお願いして入院しました。

その時父のことを毎日思い出していました。父は会社の忘年会の焼肉パーティーの場で突然倒れて入院しました。心筋梗塞で詰まった血管を、私が受けようとしているカテーテルによるステントの手術で回復しました。

その後、別のところが詰まったので再び同じ手術を受けましたが、その時の異物が脳に回ったらしく、再び入院しました。当時はやっていた抗生物質の効かない院内感染にかかっていたところに。運動機能が低下していたので、食べたものを詰まらせて脳死状態になってしまいました。母は毎日往復4時間かけて一人で運転して父の看病に行っていました。

取り越し苦労だとは思いましたが、父が受けたこの手術が唯一の方法かどうか調べてみましたが、やはり今の低下している血流量を回復させる方法はないとのことでした。


手術台に乗ってカテーテルを挿入されてから意識はあったので、医師にそのことを伝えると、担当医師は、「血流量を調べてまだ大丈夫であれば、しばらくは大丈夫なのでステントの挿入は延期できる」といわれました。しばらくの間、作業を中止して血流量の検査をしてもらった結果、

「現在65％の血流があるので、食生活を改善して投薬を続ければ進行を遅らせることはできる」

「その後は、なにを食べてもいいが、一日1400キロカロリーを超えないように生活しなければならない」

ということでした。

その後、3カ月ごとに検査をし、8年経ちましたが、一度も発作を起こしたことはありませんが、発作時になめるニトロという血管を拡張する薬を毎日携帯してはいま

す。

　血液検査のたびに腎臓の機能が落ちていてこのままでは近いうちに腎臓透析をしなければならなくなるということで、同じ病院の腎臓の専門医を紹介されました。原則的に私は、長い間慶応義塾大学医学部出身の医師しか信用しておらず、この病院が慶応義塾大学医学部出身の医師で固まっていることで、もう20年近くお世話になっていますが、今回は珍しく東京大学出身の医師でしたが、信用してお世話になることにしました。治す方法はないので、現在50％以下になっている腎機能に対しての投薬は今でもされておりません。


　毎回の検査では塩分濃度の計算をしていて、はじめは8・9％ほどありました。塩気のあるものは極力取らないようには言われていましたが、具体的には何の指示もありませんでした。私は現在の塩分濃度を5％にするためにそれからは自分の食べているものの塩分量を必ずチェックするようにしましたし、すべての調理で食塩を使わないようにしました。

　循環器内科の先生には、「そんなに塩分を減らしたら心臓にはよくない」と言われましたが、腎臓の先生は、「まったく塩なしで調理していても、外食は週1回ほどしていい」言います。低塩のハムやチーズやソーセジ、パスタ、市販のお蕎麦。週に1回ずつ食べていますので、自家製の無塩カレールー、無塩トマトスープ、無塩鶏のクリームスープ、無塩全粒パン、無塩トマトパスタ。無塩目玉焼き、無塩オムレツ、無塩だし巻き卵、無塩バターと徹底的に台所にある塩を使わない生活を7年以上続けていきました。

会合での食事はできるだけ食べないようにしています。始めてから3カ月目の検査で塩分濃度は8.9から7.8%に落ちました。

7.5から7.3となり、とうとう5.6%前後で安定してきました。循環器内科でも不整脈がありましたがそれもなくなり3カ月ごとの心臓の検査でも一切異常はなくなりました。

医師には、「心臓も腎臓も絶対に回復することはない、進行を止めるために食生活を改善していくしかない」ということを素直に聞いて実行していた結果、これまで、携帯している心臓発作時のニトロは、今まで7年間一度も使ったことがありません。

腎機能の数値も改善し続けておりまして、45%近い危険域でしたのが今では65%

を超えるようになっています。先生の患者の中では皆無でしたみたいで、私は特別な患者みたいです。先生は、「これは奇跡です」とは絶対言わないのですが、私は、地道な食生活の改善が命を救うこととなることを毎日実感しているところです。

◆病気後の食生活

慣れてくれば塩気がなくても本来の素材の味を楽しめるので、全く苦痛はありません。健康な生活が心の安定をもたらし、幸福感を増進させます。肉を極力食べないで、食事も野菜に偏ってくると、完全な採食になってしまいます。しかし多くのビーガンと言われる完全菜食主義者で70歳を超えて生きて行くことは極稀であるという非公式のデータがあるそうです。人の筋肉を増強する為には9種の必須アミノ酸が必要で、これらは人の体内で作れないので食事からとる必要があります。

大豆プロテインにはそのうちの7種類は豊富にありますが、2種類は必須アミノ酸が極僅かしか含まれていませんので、大豆プロテインを買って毎日飲んでいましたが、筋肉が増える要素はありませんでした、それどころか体重はどんどん減っていきました。

私の経験では、完全な菜食主義を続けることはお勧めできません。沖縄のお年寄りが元気で長寿なのは、ヤギや豚肉を多く食べているからだというデータは以前からあります。

私は長い間菜食を続けていますが、長生きもしたいので大豆プロテインを長年使ってタンパクを補ってきましたが、最近ではチーズやヨーグルトを製造した時の上澄みすなわちホエイプロテインを半分混ぜて毎日飲むようにしています、ホエイプロテインには人が必要とする必須アミノ酸がほぼ完全な比率で含まれています。ほかにも、健康にはこの30年間ずっと気を付けていました。

ドックフードを研究していたころ、長毛のゴールデンレトリーバーの日本チャンピオンを多数輩出していた宮崎県のトップブリーダーの方にお願いしてタイ国の工場で製造したナチュラルなドックフードの見本をお送りして長い間使っていただいた結果劇的に毛の艶が良くなったと言って絶賛されました。

タイではスイスの薬品メーカーが販売する畜産用ビタミンE製剤が安く手に入ったことからドックフードの最終工程で噴霧する動物性油脂をやめて、大豆由来の植物油にビタミンEを混ぜて、食欲を増進するためのビーフシチュー風味のフレーバはアメリカから輸入して肉は一般的な肉骨粉は使わずに鶏肉の粉を使用する等、当時の米国製の有名ナチュラルフードを超えるドックフードを目指して犬の健康を考えた最高のドックフードを開発し完成させていました。

その時の結果から人の体でもビタミンEを毎日1000ミリグラムとると血管系の病気にならないという結果を信じて今までやってきました。菜食主義であれば胡麻油やエクストラバージンオリーブ油から接種できますし、仕上げに加熱しない亜麻仁油を振りかけることもお勧めです。

キッチンにはキャノーラ油もおいてありまして一応菜種油なのでビタミンEを多く含んでいると思いますが、日本の菜種油とは違うようですし製造方法にも違いがあるようですので、あまり使っておりません。エクストラバージンオリーブ油は加熱調理に向かないと言われていますが短時間の過熱は問題ないので揚げ物以外には加熱用にも使っています。和食や中華には胡麻油を使っています。

パンやピザにはエクストラバージンオリーブ油をたっぷり使います。白砂糖も全く使っておらず、三温糖とポッカレモンを水で溶いたものを毎日飲んでビタミンCを補給していますしパンにもエクストラバージンオリーブ油と三温糖をたっぷり使っていますので、塩を全く入れなくてもふっくらしたおいしいパンができています。

食生活を充実させて朝5時前に起きて両親と祖父祖母に感謝のお経をあげて、解雇した従業員と離婚した妻と、プライドを傷つけ続けた弟夫婦と輸送中死亡した多くの動物たちにお詫びすることを毎朝続けていますが、この仙人のような生活は苦痛は一切なくとても幸せな循環を生んでいます。

以前のように法律のみの方向を向いて倫理上の善悪を全く忘れた人生の後半を修正して倫理的に正しいことだけを毎日積み上げていくと今ではとても安定した心境が生まれてきましたし、すべての人間関係がうまく回っていき、とても幸せな余生を送れる確信が持てるようになってきました。

◆倫理的生活?

英国から帰国して7年ぶりに横浜市の山手町にある父のお墓にお参りして、お寺にあいさつして連絡先をお伝えしてまいりました。2回離婚して、弟とも連絡が取れない状態の私には身寄りがありませんし、死んだ後のお墓の管理は全財産を引きついだ弟がやっているとばかり思っていましたが、全くお寺への支払いもしていない状態でした。私はお墓を始末してお骨は永代供養したいと思って、お寺に相談に行ったのです。

その後、お寺から連絡がありある方が私を探しているとのことで、教えていただいた方に電話してみました。その方は、両親が死ぬまで活動していた倫理研究所の関係の方でした。

横浜市内の私の入っている会員制のホテルで数時間にわたって両親のことや私のことをお話しして、父が創設して初代会長となった神奈川県倫理法人会の40周年式典への出席のお話でした。私は十数年ぶりでの倫理法人会のお話を聞いて、とても懐かしく思い、翌日近くの別のホテルで開かれる神奈川県倫理法人会のモーニングセミナーに出席させていただくことにしました。

この日出席した横浜市倫理法人会も私の父が創設して初代の会長を拝命していたものでしたので、とても懐かしく思って再入会させていただくことにしました。私は墨田区の押上駅のまだ先の不便な所に住んでいましたので、毎週横浜まで定時に出席することが困難だということで、東京都に46あった各地区（単会）のモーニングセミナーに出席することにしました。

毎日どこかの地区でやっているし、いろいろな方のご講話が毎日聞けるので毎日自転車で近くの駅まで行って、一番電車で間に合う範囲のモーニングセミナーに参加させていただくことにしました。

そのほかに母が普及に尽くして、最後はアメリカ西海岸の支部を作るのにも尽くした家庭倫理の会の墨田区の会にも出席してみました。

墨田区役所の一階の施設に隣接している会場で、毎週土曜日と日曜日の朝5時から一時間ほどの集会で、自分が倫理を学んで実践してきたことの報告を一人5分以内でお話しするのですが、このような会が東京都内でも50か所以上あり1945年に創立されてから活動しています。

生活や仕事の悩みも専門の指導担当の先生から指導を受けて解決することができますしとても歴史のある会です。書道教室や短歌教室も隔週で開催されていて、私は毛筆で手紙を書きますので秋津書道会というやはり昭和13年から続いている会で学んでいます。これも倫理研究所の活動の一環です。

はじめはこの一か月5000円の食から始まる仙人のような生活を、12年間、ロンドン時代から毎週食事会を続けてきた友人たちは、はじめはとても悲惨な生活状況だとして心配していましたが、どんどん若返って元気になって行く私を見てその変化に最近は納得して見守って頂いています。特に、私の法律違反をしない範囲で様々な行動をしていた生き方が一変して、ほんの小さな交通規則に至るまで守って、人としての道を外さない生き方に共感してもらえることが多くなってきました。

初めは偽善者だと言って揶揄されましたが、数カ月たちますとこれは本物臭いと思っていただけるようになりました。利害でしか動かなかった私が、本当に変わったかは、私が死ぬまでにはわかってもらいたいと思っています。はじめは偽善であっても、毎日続けることで本当の善になっていくのです。

◆父から誘われ、純粋倫理を知る

父は「朝に心のあり方を学ぶ勉強会があるから来ないか?」と誘われるままに、朝の5時から出席してみると、それは純粋倫理の勉強会(家庭倫理)でした。仕事や家庭の問題などで悩んでいる方々が色々相談して解決していく手助けをしていただける場所であり、「万人幸福《ばんにんこうふく》の栞《しおり》」という17章からなる小さな冊子を毎日少しづつ読み進み、正しい暮らし道を学んでそれを少しずつ実践して、毎日みんなの前でその結果を報告していく集まりで、「朝の集い」という集まりだということでした。

その後、父は東京のパレスホテルで、当時とても有名でした滝口長太郎という大手の不動産会社の社長の講演会に出席して、とても共感して、自分の会社にもこの社員への倫理教育のシステムを取り入れることにしました。

毎朝3時に起きてから当時居住していた横浜市中区山手町内を掃除して回りました。その後、5時から「朝の集い」という家庭での倫理の勉強と、その実践報告会に出席して、そのあと7時から自社の社員を最上階の広いホールに集めて大きな声で笑顔であいさつする練習をしました、そのあと必ず会社の運営に必要な7つの基本動作を全員で合唱しました。

その後、私も独立して新横浜駅のすぐ近くの空き地を買って鉄骨スレートで簡素な倉庫兼事務所を建てました。不思議なことに、私は母のいう事はすべて聞いてきたのに、一回も朝の集いに誘われたことがありませんでした。

父のいうこともできるだけ素直に聞くことを心がけていましたが、父の主催していた団体には一切誘われたことがありませんでした。ただ、父の勧めで導入した毎朝の朝礼は10年後に会社を閉めるまで、まじめにやっていました。しかし、毎朝斉唱していたセブンアクトが気に入っていてずっと守り続けていました。

『あいさつが示す人柄、躊躇せず先手で明るくハッキリ。』
『返事は、好意のバロメーター、打てば響く「ハイ」の一言。』
『気づいたことは即行即止、間髪いれずに実行を。』
『先手は勝つ手5分前、心を整え完全燃焼。』
『背筋を伸ばしてあごをひく、姿勢は気力の第一歩。』
『友情はルールを守る心から、連帯感を育てよう。』
『物の整理は心の整理、感謝を込めて後始末。』

これを1年間実行していたら1億円で買った自社の１００坪の土地が6億円で売れました。慌てて既成市街地外に３００坪と、父の別荘として、熱海の夜景が見える温泉付きの別荘を４００坪買い換えました。

お礼に、父に新車のロールスロイスをプレゼントしました。母には海外旅行をプレゼントしました。一流ホテルに泊まって、チンチラのハーフコートやミンクのロングコートなど好きなだけ買い物して、夜は母の大すきなカジノでブラックジャックを堪能してもらいました。

父が山手に墓を移した時も５００万円包みました。バブルがはじけるまでは、本当に立派な息子だと言われて褒められました。メインバンクの三菱銀行からは全国の若手経営者２００名の中に名を連ねました。

この頃から、満願となったのを機に飲酒をはじめ、夜は毎晩夜の伊勢佐木町や関内を飲み歩きました。若いガールフレンドは7人いましたので、毎日朝帰りになっていました。

◆17歳年下の女性と再婚

そのうちに肝臓を悪くして、山下町の港湾病院に入院しました。いろいろな女性が見舞いに来ました。そのうちの一人に、17歳年下の日本鋼管の役員の娘がいました。

母が一番気に入った娘で、質素で素直ないい子でした。着ている物も地味でしたし、食事に行っても高いものは自分からは絶対に欲しがりませんでした。

彼女は許されて、山手の自宅に招待されました。食事が終わった後で、母は彼女を自室に連れて行きました。戻ってきたので、何があったか問いただしたら、なんと私が母にイタリア土産にあげたブルガリのダイヤまきの金時計と、母が大事にしていた3カラットほどのルビーにダイヤをまいた指輪を見せて、息子と結婚してくれと迫ったそうです。

私は何も聞いていなかったので驚きました。その時彼女は私に相談もせずに即答で了承したそうです。彼女は以前から自分の家柄を自慢していましたので、結婚はあまり気のりはしていませんでした。

父は早稲田卒の日本鋼管の常務取締役で、同期の親友が社長になったおかげで唯一の優良子会社の社長に就任していました。年商1000億円、年300億円ほど利益を出している横浜市などの公共団体等のごみ焼却炉の販売専門の会社であり、就任と同時に鶴見の日本鋼管の敷地内に豪華な新築ビルを建設して内装や家具は自身でイタリアに買い付けに行って、海上コンテナ2本分契約してきたということでした。

母方の祖父は、能楽の家元で叔父は同じ慶応大学医学部出身で港区で有名な貸しビル会社を経営している人物でした。従兄はゴールドマンサックス勤務のやり手と、従姉は慶応大学経済学部主席卒業で金時計をもらったほどの才女で三菱信託銀行のシンガポール支店長だそうで、肩が凝るほどの名家でした。

義父の亡くなった父は、平和相互銀行の社長だったそうです。結婚当初は私の方が資産があったし、気楽な気持ちでいましたが、バブルがはじけて三菱銀行から会社整理の依頼を受けて、全財産を競売にかけて銀行への返済をして、残りは父がすべて引き受けることになってしまったので裸同然でタイ国に移住してからは状況が変わって肩身の狭い思いをしました。

その後も何度かまとまった金額を手にしましたがどこかで失敗します。

今考えれば、私はずっと正しい生き方をしてきたつもりでしたが要所、要所で道を外れた対応をしてきました。

◆倫理指導

ある時、あるセミナー会場での講話者で、亡くなった母によく似た80歳前半の美しい女性に出会いました。痩せていて小柄でしたが、とてもおしゃれで明るいピンクの洋服に派手な光物のブローチをつけていらっしゃいました。

私は絶えず正しい人生を歩んできたという自負がありましたし、他の人に指導していただいたことはありませんでしたし、これからもないと思っていましたが。その方の妻として夫君を死ぬまで支え続けてこられたお話を聞いて母を思い出し、指導していただくことをお願いしました。

翌月に参議院選挙出馬を控えていましたので、そのことへの向き合い方を相談しようと思っていましたが、全く予想外の言葉が返ってきました。

「この選挙は間違いなく落選するので中止しなさい」

「人としての基本ができていない人が何をやっても成功しません」

とのことでした。私は今まで正しく生きてきましたと言い張りましたが、それはいとも簡単に否定されました。

「父母の墓参りはしているか」と訊かれ、「10年ぶりに去年行きました」と答えました。さらに、

「二度の離婚をしたのであれば、その時、妻に対してきちんと謝罪したか？」と訊かれ、「向こうが勝手に離婚にもって行ったので、全く私からの謝罪はしません。慰謝料などもってのほかであり、私が謝罪してもらいたいくらいだ」と答えました。

その方はおっしゃいました。

「正しい暮らし道を歩んでいかなければこの先のあなたの成功はないし、これから先の選挙で当選することもないでしょう」と、きついお言葉を頂きました。

私は、この言葉は亡くなった母の言葉として受け取りました。

それから一年間は、毎朝お線香とロウソクを焚いてお経をあげた後で、父と母に感謝をすることにしていましたが、いつの日からか毎朝のこの時間は謝罪の時間となっていきました。

◆感謝より先に謝罪

父はコツコツと人をだますこともなく貿易で稼いだお金で建てた横浜の山手町の自

宅に住んで母と何不自由なく暮らしており、横浜中華街入り口の石川町駅の至近距離に４０００坪の賃貸ビルを建てて毎月１０００万円以上の家賃収入で人に徳を及ぼしながら悠々自適の暮らしをしてまいりました。一流大学を出て自信満々の鼻持ちならない野心家の息子が企業を拡大していったために、父のこの無傷の不動産に60億円の抵当を付けさせて銀行に差し出させ、コツコツ積み立ててきた老後の７億７千万円の定期預金も私のバブル後の借金の清算に提供させてしまったのです。

それでもメインバンクの40年来の信頼関係のおかげで、６％から２％に引き下げられた金利を毎月ひかれただけで、父が亡くなって、母がそのビルを売り払って米国に移住するまで一切の法的権利は行使してきませんでした。結局、私が買い手を見つけて、メインバンクと話をつけて私の借入金は全て完済することができました。

この倫理で学んだ正しい暮らし道を実践してきた老夫婦は死ぬまでお金に困ることなく、一生を終えることになりました。しかも、父の葬儀には３００人以上の参列者がいらっしゃいましたし、その一年後に亡くなった母の葬儀には、５００名以上の方々がいらっしゃいました。

そんなことがたくさん思い出されてきて、毎朝の感謝の祈りは、全て謝罪の祈りとなっていきました。

弟に対しても、成功していた私の幸せの一端を分けてあげるつもりで色々してやっていたつもりでしたが、弟にしてみれば自分の家庭の中では充分幸せであったのに、私の自分の優位を見せつけるというマウンティングを受けたと思いとても悔しかったのだと思うようになってきました。災いの元である一方の息子の私は、両親の遺産を一切手にすることを許されませんでした。

遺書には、弟が数十億円に及ぶ日米国内全ての遺産を相続するように書かれていました。法的にはこの遺書には問題があるのですが、米国籍を取得してカリフォルニアに住んでいる弟を数回訪ねていきましたが、私の知る全ての不動産は賃貸物件となっており、未だに弟と出会うことはありません。

私は、中学時代から悪事が過ぎて母校を退学になり、米国での乱れた学生生活の末せっかく入学した南カリフォルニア大学も授業について行けず一年で中退して、浮気の末2度目の結婚後も父母の手を煩わせていた不肖の弟に、情けをかけたつもりでやってきました。

父や母への数々の誤った接し方や、２度の離婚、自分自身では気が付かない大きな間違いがたくさんありました。私は毎朝ロウソクとお線香をたいてお経を読んで、父母にお詫びし、別れた２人の妻に私の至らなさを詫びていましたが、最近は私を裏切って米国に逃げ帰った弟にも詫びています。

弟が裏切ったのは、私に最初の原因があったことに気が付きました。祖母と祖父にも感謝より、私の場合は詫びる方が先であることを気付きました。

あんなに可愛がってくれていた母方の祖父が痴呆症になって行くことにも全く理解を示さず嫌っていましたし、祖母は死ぬまで私の理解者でありましたが、亡くなる前の数年間は自分の生活を維持することに精いっぱいで、その存在さえも全く忘れていました。

父方の祖父河野天籟はとても有名な漢学者で、「孟老余滴」という自作の１００編の漢詩を収めた詩集を編纂しました。作品の中には「祝賀の詞」という詩吟ではおめでたい行事の時には必ず吟じられる詩吟さえも知りませんでした。

遅まきながら、今になって祖父の詩吟を毎週学んで、毎日一人で吟じています。さもないとこの美しい漢詩を吟じる肉親は全て途絶えてしまうのです。

河野の祖母においても、私が勉強している倫理研究所第2弾目の「無痛安産の書」という書籍を思い出します。13人もの出産を経験し、13番目の私の父の出産に関しては、やはり難産の末に医師の手をかけずに無事出産していることを聞くにつけ、正しい暮らし道を生きてきた明治の女性にとっては出産は日常の続きの一場面だったのかと思うのです。

会社の整理をしたときにも何も悩まずに、平気で解雇していった自分を恥じて、全ての社員に謝罪しています。

私が海外から輸入して、不幸にも命を落としていった多くの動物や小鳥たちにも毎朝謝罪しています。

生後間もなくなった兄、はじめの妻の子宮外妊娠の水子、恋人の人工妊娠中絶の水子、二人目の恋人の人工妊娠中絶の水子、計4体の子への供養し、これらの事を指導されてから毎日欠かさず今まで続けていますし、おそらく今後も死ぬまで続けていくことになると思います。毎月の墓参りもすることを教えられて実行しています。

父母のお墓、母方のお墓、これらを教えていただいた先生の師である方のお墓にも毎月参っています。どんな小さい約束事も、例えば、早朝誰もいない路地の赤信号も絶対に守る様にしています。これらを長く続けることで色々なことがあらぬ良い方向にいくことを多く経験するようになってきました。

◆私のこれまでの人生を思い返してみると…

思い起こしますと、私が順調でしたのは、まじめに勉強して家のために尽くし、両親に心配をかけずに働いていた時期と、その後、独立して父の指導で、倫理に基づいて経営していた10年間だけです。その後は、全く両親の教えを忘れて突き進んでいった後半での失敗の連続という恐ろしいほどの結末を味わったのでした。

今まで私が学んできた純粋倫理というのは、一種の哲学ですが理論を学ぶだけの学問ではなく、体にしみこむほど実践を繰り返し、一挙手一投足倫理に即した行動を実践していくことで、己を完成させ、未来を正しい方向に変えていき、正しい結果を導き出していくという理論です。

実践しなければ結果は出ないどころか、悲惨な結果を招くことは、私の人生が証明しているのです。現在の私は、この人生を通した結果を厳粛に受け止めて、倫理に即した人生を忠実に実行していくことを目指しています。

一気に全てを実践しようと思わず。できることから実践して行けば、必ずそれなりの結果が出てくるということですが、これを再び実践し始めた翌日から、私の周りで変化が現れ、今では貧しいながら幸せで充実した毎日を送っています。

毎朝4時に起きて、父と母以外にも母方の祖父と祖母、父方の祖父と祖母にもロウソクとお線香をあげて、感謝の気持ちを伝えた後、私を裏切って遺産を独り占めしたことで憎んできた弟とその嫁に対して、私の絶頂期に傲慢な態度をとり続けて自尊心を傷つけていたことや、幸せにできなくて離婚してしまった、下谷根岸の妻と、世田谷代田の妻に対して、倫理に沿った朝礼を忠実に毎日行って、私に尽くしてくれた従業員に対して、大量に販売していく中で死んでいった多くの小鳥や動物たちに対して、毎日土下座して謝罪しています。

そして、初めて母から教えられた笑顔と大きな声での返事やあいさつの言葉、父から教わった、順法精神と折り目正しいお辞儀の仕方、約束と時間の守り方等、基本的なことを出来るだけ完璧に実行することを心がけています。

今の私には、難しい哲学の理論よりも、このような、人としての正しい基本動作や習慣をコツコツ実践して行くことが、あと10年程の余命を全うし、安らかな最期を迎える道だと確信するようになりした。

おかげで、昔味わった絶頂期の、夢を全て叶えてきた、とてつもなく幸せだった時代を再び求めることもなく、夢のようなリッチな生活を恋しがることもなく、現在支給されている少ない年金の範囲内の地味な食生活を送ってきたことで、血管拡張手術が必要であると言われていた持病の狭心症も不整脈も消え失せ、人工透析一歩手前で回復の見込みはないと言われてきた腎機能も、なぜか回復してしまうという奇跡のような事が起こり、医師も理由を説明できないでいます。

多少の能力低下はありますが、書籍を出版する程度の知力は残っています。先日は、とても重いものを持ち上げてぎっくり腰だと思って病院でＭＲＩ検査をしたところ、第５頸椎が完全に折れているということで、コルセットをまいて絶対安静での生活となりましたが、心配されたような下半身の歩行を含めた内臓障害が一切なかったことも奇跡と言われています。

第五章　地球倫理の必要性

◆『こうすれば人類は救われる』を読み返して

私の若い頃の欲望は全て実現してきましたので、今ではそのようなことより、あと少しの余生を正しく終えることを目指していましたが、最近になって以前読んで気になった本を読み返しています。

『こうすれば人類は救われる』副題が【悪と平和の倫理】というもので1983年に倫理研究所から発売されています。この著者丸山竹秋氏は、東京大学哲学科を卒業した後、慶応義塾大学医学部で学ばれた天才で、地球環境の破壊や侵略戦争のことを語っています。

系外惑星の衝突についても書いてあります。その当時の情報ではあり得ないほど、この40年後の危機について語っています。

このままでは地球は近い将来に滅びてしまうこと、このことを回避するには自国だけの利益や平和を追及してもダメなので地球規模で正しい方向を示して世界規模での人類の協力が必要だと訴えています。今現在、実際に起こっていることを予言して書かれているようで、思わずハッとさせられ、私の脳裡に刺さりました。

この本では、「国際連合ではないもっと強力な組織によって世界規模で具体的で有効な施策を実行していけない場合、今世紀中に人類は本当に絶滅してしまう可能性があり、このことを実現して地球を救えるのは高い倫理性を持った優秀な国民を有している国家だと思う」旨あります。

竹秋氏が提唱した「地球倫理の推進」事業は、今でも根気よく実行されていますが、これ以上この考え方を推進して行くには、さらに高い倫理性を兼ね備えた強力な政治力が必要だと強く感じています。

本書『『地球倫理の目覚め』が発売されてから50年目、即ち２０７３年ごろまでにそのような強い、倫理性の高い政治家が集まって今世紀中の考えられる数々の危機を全て乗り越えられることができないものか、と日々考えるようになってきています。その為の礎を築くには私が生きている10年以内がとても大切だと思います。これらのことを、この1年足らずの学びなおしの期間に気が付いたことは本当にありがたいことだ、と本当に感謝する毎日です。

『こうすれば人類は救われる』から私が検討するに、現在、日本発の国策としてどうしても育てて行かなければならない独自技術は、以下のようなものです。
・半導体材料製造装置　・ペロブスカイト製太陽電池　・セルロースナノファイバー
・水分解水素発生装置　・燃料電池　・非リチウム全個体蓄電池　・超小型原子炉

これらの技術をフルに活用して、先進7ヵ国中、我が国とロシアにしかない巨大で無限に近い地熱エネルギーによるほとんどただの電力を使った電気のかたまりという程電力を必要とする半導体製造と、将来必ず石油に替わって世界を制覇する液体水素を国内のグリーンで安価な電力で生産拡大し続け、それから得られる潤沢な資金による理想の平和国家を建設し、その影響下にある同盟国をも繁栄させていきます。世界のその他の主要な地熱大国は、南米のチリ、インドネシア、台湾、ケニア等と限られた国々です。日本が支援すれば従来の石油産出国のように国民は原則労働しなくても満足して暮らして行ける国になるでしょう。

このように、日本が将来世界で果たす役割は決して小さくないのです。資源の少ない我が国は又、シンガポールのように香港に替わって再び金融の中心地となることでしょう。

それには、現在数百兆円あって、主に米国の運用会社に任せている年金機構の資産、日銀の抱えている株式資産、国民の金融資産、企業の５００兆円を越える剰余金等に鑑みて、政府が発行する６００兆円ほどのグリーンボンド（企業や自治体が資金調達を目的として発行する債券で、調達した資金は環境改善活動・グリーンプロジェクトのみに使われる）を年５％の利率で発行し、ＥＳＧ投資（環境や社会に配慮して事業を行っていて、適切なガバナンス・企業統治がなされている会社に対する投資）として前述の特定の産業の支援財源として向こう６年間に集中して管理運用させる機構を作って運用されていきます。

これからは、上限のない野放図な政府の予算を厳しく管理して、ただのバラマキ政策をきちんとチェックする機能を構築した上で、現在の税収を倍増させて、換わりに年収５００万円以下の国民にくまなく毎月15万円以上のベーシックインカムを支給できるだけの産業革命を推進して、安全で幸福度の高い福祉国家を10年以内に実現しています。

これは夢ではないのです。これから25年後の２０５０年には完全なゼロエミッション（企業活動や市民生活から排出される廃棄物をリサイクルや排出量縮減を通じて限りなくゼロに近づけること）の環境を実現できていなければ、今世紀末までに人類は絶滅する可能性があるのが真実なのです。

地球の将来は、数々の危機が訪れることを事実として受け入れられれば、このような軽度な環境破壊によってもそれらが複合的に作用して人類は容易に絶滅することも想像できることでしょう。

その意味においても数十年前に藍綬褒章まで授かった「地球倫理推進」を掲げて後のSDGsの礎を作った丸山竹秋氏の思いを真摯に受けとめて見る時期がやってきました。

◆日本ができること

日本が早く経済を元の軌道に戻すことです。

日本独自の地形から得られる独自のエネルギーである地熱は、ある一部の権益を守るために封印されています。地熱発電のための採掘で温泉旅館のお湯が出なくなったり、温泉が冷めてしまうとか、ほとんどが国立公園内に位置しているので、景観を損なうし、そもそも法律上許可が下りないとか、今ある全原発の3％しか潜在ポテンシャルがないとか、コストがかかりすぎるとか、ありとあらゆるウソを並べてこれを阻止して、マスコミにも、有利な情報は封印しているのです。

日本の地熱発電技術は世界トップクラスです。フランスは、アフリカのケニアに日本の日立等の技術で6基の地熱発電所を建設しており、現在7基目と8基目を計画中であると聞いています。

アメリカ、中国、フランス、ドイツなどは大きな火山はないので不安定で高コストな太陽光と風力発電をあきらめて、原子力発電をグリーンエネルギーと位置付け、これによって水を電気分解してグリーン水素ということで温暖化に対処していくつもりですし、日本独自の特許を多く有する燃料電池とハイブリッド技術を封印するために、まったく環境にやさしくない、リチウムとレアアースによる電池自動車を広めようとしています。

この神の恵みである日本列島全ての場所にある、無料で無限の地熱エネルギーを大量に使って、安価でグリーンな水素を大量に生産して、世界に販売し、その利益を世界に還元して、世界の貧困や、飢餓をなくし、貧しい途上国でも良質な教育を全ての人民に与えられるような十分な支援を実施することのできる国にしていけるはずなのです。
正しい政治倫理に基づいた政策を実行出来る日本の姿を見たいものです。

◆哲学から純粋倫理のできるまで

紀元前470年ごろギリシャ共和国のアテネに生まれたソクラテスに代表される道徳、哲学はのちの倫理学の礎となっていますが、この人物に大きな影響を受けたプラトンはのちのアリストテレスの師でもあります。アリストテレスは哲学者であると同時に自然科学者でもありましたが、人間の本質を研究する学問であり現在の倫理学に通じるものであったと思われますが、難し過ぎて私などの凡人にはとても理解できません。

私は、それより昔に釈迦が現在のネパール近くの菩提樹の木の下で瞑想した結果、無の存在を悟ったことも驚きであり、紀元前500年以上前に悟ったこの境地が、今の宇宙の空間に通じていることに驚愕しています。「般若心経」はたった260文字の短いお経ですが、仏教の神髄である無について説いています。

現在の宇宙科学で分かってきたことには、宇宙空間は真空であり、真空は読んで字のごとく本当に【カラ】である空間のことですが、宇宙の空間には質量のある何かが存在していることがわかってきており、物質が5％程度であり、その他に95％のダークマターとダークエネルギーという未知の質量で埋め尽くされていることがわかってきました。これは一体何であるかはまだ解明されておりませんが、存在していることは確かだそうです。一つは拡大する力があり、もう一つは引き合う力であり、しかも質量を有しているようです。

これが解明されない限り、宇宙や神を論ずることは難しいのです。このような現代において、哲学によって人間の本質を研究していくことも大切です。

しかし、私たちのような庶民にとって難しい理論ではなく、人が直感的に体感できる正義と不正義、それを実行することによる明解な結論が実験によって、科学的に実証されていたのなら、理屈を並べ立てる前に、そのことを愚直に実行してみることは意味があることだと思います。

何が正しいことかを学んで、それを愚直に繰り返し実行していくことで、人としての本来の力が湧き出てきて、幸せに生きていけるとしたら、難しい哲学を学んだり悩んだりするより良いのではないか、と思っています。

単純に、素直に人生を送ることによって人は磨かれ、幸せになれることに疑いはありません。

明大中野中学校校長であった丸山敏雄先生が、ご子息の竹秋氏とともに１９４６年に創設された「新世文化研究所」が１９４７年に機関紙「文化と家庭」を創刊し、１９４８年に東京都より「新世会」が社団法人として認可され、東京の上野に「家事相談所」を開設し、１９５１年に『社団法人倫理研究所』が本格始動しました。

東京大学哲学科を卒業されたのち、慶応義塾大学医学部で脳科学を学ばれた丸山竹秋氏が、わかりやすい文章で、どこへでも持って行けるポケットサイズの小冊子を「万人幸福の栞」として会員用に出版されました。

この冊子は、17か条のわかりやすい文章でできており、その一条ずつが科学的に検証されており、実践すれば必ず成功し幸せになれる条件が17項目掲載されています。神仏を敬い、先祖父母を敬い、朝早く起きて、約束を守り、時間を守り、身の回りをいつもきれいに整理整頓し、礼節を守る、通常の日本人なら江戸時代より前から道徳として身に付けていた、このような美徳をただただ愚直に守り通していくことを説いているのです。

学問や知識としてではなく、習慣として日々実践していくことが幸福への道だと説いています。この倫理運動は全国に12万人以上の広がりを見せ、1980年頃から企業倫理を社員教育に取り入れて「倫理法人会」が急速に普及して、現在では全国に8万社近くの会員（社数）を有する巨大な組織に成長してきています。

私の父はこの大きなうねりの始まりの大切な時期に神奈川県倫理法人会を設立して、初代会長として力を発揮し、多大な貢献をしていきました。母も父を支えて倫理を学び、創立100周年にあたる1992年には、研究所の派遣講師として31番目に名を連ねていました。1995年に父とともに米国ロサンゼルスに渡って、私財をなげうって倫理運動を広めていきました。

その後、父は脳梗塞で逝ってしまい、仲の良かった母はその後を追うように翌年世を去りました。

◆人類が直面する5つの危機

現実的に考えてみると、これまでの歴史では、この地球上で一億年さえをも超えて栄え続けている種は存在していません。人類も、いずれ絶滅して行く種の一つだということを強く自分に言い聞かせて、大切に生きていくことが大切なのではないでしょうか。この1億年の期間にも危機がたくさんあります。日本の存続だけでなく、地球の存亡にかかわる危機は今世紀中にいくつも起こります。

第1の危機は、今そこにある、地球温暖化です。このまま侵略戦争が各地で続けば、すでに何万発もの銃弾や爆弾やミサイルによる爆発等によって、タイムリミットである2050年を待たずに地球温暖化は進み続け、産業革命時点より軽く1・5度を超えてしまうでしょう。ロシアの永久凍土は完全に溶け去ってしまい、数千年間凍結されていた、炭酸ガスの25倍もの温室効果のあるメタンガスが全て溶けだして、ロシア北東部の温暖化が進み、そのせいで北極海の氷床は全て溶けてしまい、南極周辺まで続く北海からの海流によって運ばれていた冷水の温度が上がって、連鎖的に南極の棚氷が全て溶けだします。

当然、ヒマラヤやアルプスの氷河は全て溶けだして、当初今世紀中の海水面の上昇は1・7m程度だという予測がありましたが見事に外れて、30m以上の海面上昇になることでしょう。これにより、日本の領海内に1000以上あった島々はほとんど水没し、海岸線の大幅な減少によって日本の領土領海の70%以上を失うことになります。侵略戦争に端を発したエネルギー不足、食料不足からの世界的インフレが引き金となり、世界同時不況が目の前に迫っています。

日本等の大量の資金提供力のある仲介か、または侵略戦争を主導した指導者が死亡することによってのみ、この危機は収束することとなります。

第2の危機は、5年以内の米軍の大幅な軍備予算削減と中国軍が世界第一の軍事大国になることで、アジア太平洋地域での中国軍の圧倒的優位によって、台湾へ、力による併合する行動に早めに出ることです。

その時には、日本国内にある米軍基地も標的になることは充分考えられます。自衛隊が米軍の後方支援をした瞬間から、日本は米軍と一体とみなされ、米中戦争に巻き込まれることになります。日本はひたすら米国に追随することでは存続できません。

軍備についても戦力はこれ以上拡大しないで取り敢えず直近の脅威に対応するための島嶼地域での避難用シェルターの整備や、避難用船舶と港湾の整備に等に特化して、急いで整備することが強く望まれます。

日本独自の倫理観に基づいて平和外交に徹することです。ここで戦闘が拡大すればまたもや地球の破壊が進んでしまうので、この戦争は日本がどんなに経済的な出費をしてでも仲介の労をとって戦争状態になることを阻止すべきです。

同時に、日本有事の際には、真っ先に狙われる原発をできるだけ早く停止して地下に埋めることです。日本を核ミサイルで攻撃する必要はありません。57基ある原発を通常兵器で破壊すれば、日本全土は汚染されて二度と世界の一等国の仲間入りをすることはなくなります。

日本は、戦争の事を考える前にやることがあるのです。災害や戦争の時に避難できるシェルターを早期に充実させ、水や食料を最低1か月分は備蓄しておくことがまず求められます。これは今世紀中にも起こりうる系外惑星の衝突にもある程度は機能します。少なくとも直接の衝突地域以外の人類は助かるはずです。

何よりも、日本のように潜在的な資金力が残っている国は、まず、経済戦争に勝つことと、サイバー空間と宇宙空間と情報収集活動に集中的に資金投入することがとても大事だと思います。高い倫理性のある日本民族が生き残れば、少しでも長く人類を存続させることに寄与できるはずです。

第3の危機は、30年以内に70％の確率で起こるといわれている首都直下地震です。それは明日起こってもおかしくない状況です。富士山の噴火とともに、必ず起こることなので、これに備えることが必要です。

科学者がそう言っていることはその確率で必ず起こることは、２０１１年3月11日に起きた東日本大震災で経験済ではないでしょうか。

その時、ほとんどが埋め立てでできている湾岸部はすべて破壊されて、水没するか火山弾と火山灰に埋もれて何年もの間復興することはないのです。このことは預言者や占いよりも高い確率で起きるのです。今造りかけていて、一部の心無い地方の政治家の思惑で停滞しているリニアモーターカーを早期に完成させ、首都機能をリニア20分圏内の長野や山梨に分散させておくことが急がれるのです。

第4の危機は、３０００年以内にほぼ確実に起きる氷河期です。今は人為的理由によってほんの少しの温暖化によって今世紀中に地球は地表には住めない環境になるのです。このまま、戦争状態は今世紀の半ばまで続き、平均気温は人が住めない45度以上になるでしょう。それまでに日本は空調付きの地下シェルターを十分確保して地下都市で当分暮らすことになります。

しかし本当は、地球はすでに氷河期の入り口にいるのです。早ければ１５００年、遅くても３０００年以内には確実に氷河期になり、いずれ地球全体が凍ってしまう全球凍結になることも地球のスケジュールに入っているのです。その時は地表の原発は氷で覆われて、管理が困難になっていることが考えられます。

移動可能な小型高性能の原発を大量に生産して地下に保管し、自国の電力や、困っている友好国に提供できます。原則的には、できるだけ多くの地熱発電所を自然の景観を損なわず、敵国の標的にならない国立公園地下に建設しておいたおかげで、日本はこの危機に、唯一無傷で生き残れるのです。

それればかりか、膨大なただ同然の豊富な余剰電力で、水の電気分解で得られるグリーン水素を大量生産できるので、これによって、安くて豊富な持続可能の航空燃料や都市ガス、水素自動車、水素バス用の液体水素の輸出での海外市場独占がもたらされるはずです。安全で高性能なコンテナサイズの超小型原発の開発とともに、日本国政府に大きな財政的余裕をもたらすこととなり、少子化はじめ、年金や貧困対策への

人類が直面する５つの危機

第１の危機：地球温暖化
第２の危機：米軍の大幅な軍備予算削減と
　　　　　　中国軍が世界第一の軍事大国になる
第３の危機：首都直下地震
第４の危機：ほぼ確実に起きる氷河期
第５の危機：系外惑星の地球との衝突

大きな原動力となるばかりでなく、日本主導で、早期の地球温暖化防止と、貧困、飢餓、教育への海外ＯＤＡで途上国を救済していくことができるようになるのです。

第5の危機は、必ず起きる恐ろしい系外惑星の地球との衝突です。今までに地球上では何度も起こっていることで、これから先の50億年という長い地球の一生の間には必ず何度か起こることです。

地球の半分とか、３分の1程度の惑星が衝突しても、科学が進んでいて、もし地下都市に住んでいれるようになっていれば、直接衝突で吹き飛んだエリア以外の人類は何とか生き延びられると思います。

電源も、地表にあるものは、衝撃波ですべて破壊されてしまいます。これも必ず起こることなのですから、地球人は地球人同士殺し合いをしている暇はないのです。「現在の国連より強い連帯力を持った、地球連邦のような一体化して地球人を守る組織を早く創られなければ、今世紀中に人類は絶滅する」と主張している科学者は多いと聞いています。

先ほども言いましたが、地球ができてから46億年たっていますが、一つの種で1億年続いた種を私は知りません。人類だけが地球の最後まで、生き残っている確率は１％

もないのです。それが、あれば奇跡です。その奇跡を起こせるのは、今まで地球に生息してきた種では、人類とウイルスくらいではないでしょうか。

◆純粋倫理学の必要性

これだけ危機が絶え間なく襲ってくる地球で生き残っていくには、まず、全人類が平和を保って、同じ危機感を共有して、一体となって行くことが必要となります。絶えず不安が付きまとっていてとても生きていけなくなる人が出てきます。

私たちは地球の最後の姿も知っていますし、今ある宇宙がいずれ消えてなくなってしまうことも知っています。特に1995年ころから天体望遠鏡の発達と、系外惑星の計測法の進歩などでほぼ宇宙での我々の住んでいる地球の位置と、正確な過去の歴史と未来の運命がわかるようになりつつある今、どう生きるべきか、どう死ぬべきかを特に考えるようになってきたと思います。

ソクラテスからプラトン、アリストテレスから、カントらから現代に続く倫理学、バラモン教、ヒンドゥー教から仏教等インド哲学から影響を受けた日本の哲学、倫理学、京大西田幾多郎氏と両極をなす、東大西普一郎氏以来、明治以降の日本の哲学者倫理学者の流れを汲んだ丸山敏雄氏が確立した倫理実践による科学的根拠に裏づけられた純粋倫理学は、一般庶民がただ実践するだけで幸福を実現できる一つの筋道を示しています。

人はこのような過去40億年の進化と、これから50億年以内のいつか滅びることの明確な覚悟のうえで、今まで人類が暮らしてきた正しい法則の下で、以後の世界を正しく生きて行く方法を身に着けることで、幸せを実感しながら人生を終えていけることになるはずです。

この正しい継承を永遠に続けて行くことがこの危機に満ちた地球上で、最後まで運命を全うできた唯一の種として生き残ることができるし、運が良ければ、光速に近いか光速の5分の1程度の速度を制御できる技術を開発して、太陽系以外の恒星系に移住して種を生存させ続けることも可能となるのです。これには、よほど高いレベルで倫理性を保持した暮らし道を維持できなければ実現しないことでもあります。

地球はあと50億年以内に必ず消滅するので、その終末の日まで、秩序正しく暮らせるように、学校教育では、【地球倫理】（Earth Ethics）の授業で毎週1時間かけて教育していきます。即ち、正しい滅亡の仕方を教えていきますが、これからは、世界中が連携して、明るい未来を創るための【地球倫理】（Earth Ethics）の教育を取り入れていくことになります。しかし、この輝かしい未来の希望を実現する前にたくさんの危機を乗り越えて行くことになるのです。

しかし、人類がいかに幸運であり、知性を進化させても、いずれ終焉を迎えることは間違いありません。宇宙自体が、今まさに加速度的に膨張し続けている限り、いずれ全てが引き裂かれて終わりを迎えるか、膨張を止めて、急速に縮小して元の点に戻って終わるのか。またはこの点が、再び爆発を起こして、急速に拡張して同じことを永久に繰り返してゆくのか…。

『地球倫理年表』

BC137 億年	宇宙の誕生
BC 46 億年	地球の誕生
BC 40 億年	生物の誕生
BC2000 万年	日本列島がユーラシア大陸から分離
BC12000 年	現在の日本列島完成
BC1 万年	西アフリカに人類が誕生
BC5000 年	インダス文明
BC2660 年	日本皇室神道
BC1280 年	ユダヤ教
BC1 年	キリスト教
AD6 世紀	英国ウェセックス王朝
AD610 年	イスラム教
AD927 年	イングランド王国
AD1868 年	明治元年
AD1870 年	君が代が初めて楽隊によって演奏された
AD1945 年	第二次大戦終戦、倫理研究所新世会設立、初代丸山敏雄理事長、「夫婦道」「無痛安産の書」日本創生
AD1951 年	二代目丸山竹秋理事長 地球倫理推進運動「こうすれば人類は救われる」
AD1980 年	千葉県倫理法人会設立
AD1983 年	東京都倫理法人会設立
AD1983 年	神奈川県倫理法人会設立 「こうすれば人類は救われる」創刊
AD1984 年	横浜市倫理法人会設立
AD1996 年	三代目丸山敏秋理事長、「美しき日本の家庭教育」幼児期からの神話の読み聞かせ
AD2050 年	カーボンニュートラル最終期限(産業革命当時の 1.5 度以内を達成しなければ地球温暖化は制御不能となる)、人類絶滅危機
AD5000 年以降	氷河期
AD50 億年	太陽が水素を使い果たして赤色巨星となる
AD60 億年	急激に収縮してから超新星爆発して消滅する

宇宙はなお加速度的に拡大を続け、最後は全てが引き裂かれ無となるか再び収縮して、元の小さな粒子となって再び大爆発しビッグバンとなって拡大を繰り返していくかは定かではありません。

あとがき

◆地球の最後と地球倫理推進の必要性

１９９０年代から現代までの30年間、特にこの５年間の宇宙に関する発見とその実証が進み、今まで有限であると思われていた宇宙が無限ではないかということや、ビッグバンで爆発膨張を続けてきた宇宙が収縮するどころか今なお加速度的に膨張を継続していることや、我々の住む銀河系宇宙はそれほど広大ではなく、もっともっと大きな銀河が何兆個も存在していることや、この結末は、拡大はいずれ止まって、急速に収束して、元の圧縮された小天体となり、再び爆発して拡大を繰り返すという説と、そのまま拡大を続けていって、いずれ、限界を迎えて、すべての物質は引き裂かれて跡形もなく消滅するという説があります。

いずれにしましても、先年お亡くなりになった天才科学者ホーキング博士がおっしゃったように、神という概念を問い直さなければならない時期に来ていると思います。変わらないことは、人類はいずれ絶滅することだけは確かだということです。

直近では、戦争で爆弾やミサイル、戦車が排出する二酸化炭素によって、２０５０

年までに産業革命時点より1.5度以内の気温上昇に抑えることはほぼ絶望視されているのです。この時点を超えると、シベリアの永久凍土はすべて溶け出し、含まれていた二酸化炭素の25倍もの温室効果が懸念されているメタンガスが北半球を覆い、北極海の氷による太陽光の反射による気温上昇を抑制効果はたしてきた氷はすべて溶け出し、海水温は上昇し、その温水は海流に運ばれて南極に達して、南極大陸の棚氷を全てとかします。

この時点でアルプスやヒマラヤの氷河はすべて溶け出しており、温暖化は止まらなくなって、今まで言われていた、海面上昇1.7m上昇都下のレベルをはるかに超える海面上昇により、日本に1万以上あった島々はほとんど水没し、日本本土の海岸線すべてを失うこととなります。アメリカ大陸にある国家、ユーラシア大陸にある国家、アフリカ大陸にある国家はその後の地球の氷河期によって地球温暖化が止まるまで持ちこたえられても、有数の海洋国家であった日本はただの小さな島国として、衰退していくことになります。ジャパン・アズ・ナンバーワンはもう二度と達成できなくなっていることは間違いありません。これが今世紀中に現実に起こる可能性はとても高いのです。

付け加えると、南極大陸の氷がすべて溶け出すと、世界の海面は60 m以上上昇してしまうそうです。
今の日本が出来る選択肢はそう多くありません。世界がより持続可能で安全なグリーンエネルギーを求めているときに、決してグリーンとはいえないエネルギーを増やし続けていては、日本は衰退の一途をたどるのです。

幸い、日本列島はユーラシアプレートと太平洋プレートとフィリピン海プレートと北米プレートの交差点の真上に位置し、不安定極まりない不幸な立地ではありますが、一方では日本中どこを掘っても火山帯の熱源に出会います。

今では1本の井戸を掘るだけで1億円かかり、周辺関連事業も含めると最高5億円はかかり、平均でも10本の井戸を掘る必要があり、確率が悪い事業であるばかりか、ほとんどが温泉旅館等の立地や、国立公園内の立地など、条件が悪すぎるということで、全く重要視されておりません。しかし、効率よい集中投資と技術の改善によって1本1億円以下での掘削と、中古の火力発電からの中古のジェネレーターの利用などで、必ず日本の基幹産業となることは確実なのです。

もちろん政府がこれに気付いて、財政面と政策面での全面的な支援をすることが必要不可欠です。現在石油系輸入燃料には年間30兆円ほどの無駄な資金が使われており、中国製太陽光パネルに頼っているソーラー発電やドイツ製のプラントに頼っている風力発電では、土地の荒廃や低周波騒音問題が確実に起こることや、どんなに好立地でも日の当たらない時間、風の吹かない期間があることは間違いありません。私はこの10年間勉強してきた結果、色々な反対勢力の妨害が入りますが、賢い政治家が、利害関係を考えずによく勉強すればこの地熱発電への集中投資に行きつくことになるはずなのです。

そうなっていないのは、そうなっては困る、陰の、負の力が大きく働いていることは間違いありません。

日本が１００兆円規模で本気でこの本来無料で無限の自然エネルギーに投資すれば10年以内に無限の無料電力と無料水素を手に入れて、予算不足で頓挫している日本のインフラ整備や年金資金問題、底辺３分の１の貧困世帯に対するベーシックインカムの実現、アジアアフリカの遅れている質の良い教育の普及と飢餓や汚染水の危険から、日本の無償援助で救い出すことが可能となるのです。
　自国中心の政策を主張しているばかりで一向に前進しない世界各国の合意に基づくSDGs の実現を待っていては総てが手遅れになるのです。

　　　　　　　　　　　　　　　　　　　　　　　　河野　なみへい
２０２３年6月吉日

河野 なみへい（本名 憲二）プロフィール

1948 年 横浜市鶴見区総持寺の裏の大きな借家で生まれる。
1949 年 横浜市西区高島通りで両親が始めた小さな小鳥店京浜鳥獣店の二階に祖父母と同居。
1950 年 父が日本で初めてキリンを輸入して上野動物園に納入。京浜鳥獣貿易株式会社設立。
1951 年 横浜市西区平沼のサクラ愛児園に入園。
1954 年 関東学院小学校入学。
1957 年 横浜市神奈川区台町に動物飼育場兼居宅を建設し転居。
1960 年 関東学院中学校入学 剣道部入部。
1961 年 横浜市中区松影町の石川町駅前に河野ビルを建設して飼育場兼本社兼住居とする。
1966 年 関東学院高等学校卒業。
慶應義塾大学文学部文学科ドイツ文学専攻。
1967 年 東アフリカに野生動物研究。
1968 年 タイ国に野生動物と九官鳥の研究。
1969 年 再度ケニアとタンザニアに行く。
1970 年 大学卒業後京浜鳥獣貿易株式会社入社。父が 4000 坪の賃貸ビルを建設して、筆者は常務取締役宅地建物取引主任となる。京浜鳥獣ペットフード販売株式会社を新横浜駅横にて設立し倉庫と本社を建設。

その後数々の事業をてがけたが、バブル崩壊とともにすべて整理してタイ国バンコクに移住し高級ドッグフードの開発とプライベートブランドドッグフードを企画・製造し日本市場に輸出する業務を 14 年間経営。離婚して投資先だったイギリス、ロンドンの邦人向けスーパーマーケット・ジャパンセンターグループの取締役和食スーパーバイザーとして 7 年間勤務。

帰国して赤坂見附駅前で寿司店経営、沼津駅前で寿司店経営。3.11 後福島県の双葉町に移住。イタリア料理とフランス料理勉強の為東京ベイコートクラブに調理師として入社。京成不動産にてアルバイト。

2021 年 東京都議会選挙出馬し落選。
2022 年 参議院選挙出馬し落選。

現在環境活動をしながら執筆活動中。

地球倫理の目覚め
日本創生から地球倫理推進教育への道

第1刷発行　2023年6月30日
著　者　河野 なみへい
編　集　万代宝書房
発行者　釣部 人裕
発行所　万代宝書房
〒176-0002 東京都練馬区桜台1-6-9-102
電話 080-3916-9383　FAX 03-6883-0791
ホームページ：http://bandaihoshobo.com/
メール：info@bandaihoshobo.com
印刷・製本　日藤印刷株式会社

ISBN　978-4-910064-38-3　C0036

装丁・デザイン／小林 由香